D1133616

ROUGE 3

McDOUGAL LITTELL

Discovering FRENCH *Nouveau!*

Unit 8 Resource Book

Components authored by Jean-Paul Valette and Rebecca M. Valette

- Portfolio Assessment
- Audio Program

Components authored by Sloane Publications:

- Family Letter, *Patricia Smith*
- Absent Student Copymasters, *E. Kristina Baer*
- Family Involvement, *Patricia Smith*
- Multiple Choice Test Items, *Patricia Smith*
- Activités pour tous, *Helene Greenwood*

Other Components

- Video Activities, *T. Jeffrey Richards, Philip D. Korfe, Consultant*
- Workbook: *Marie-Claire Antoine, Sophie Masliah*
- Lesson Quizzes: *Mary Olmstead, Marie-Claire Antoine*
- Unit Tests: *Andréa McColgan Javel, Nathalie Drouglazet, Richard Ladd*
- Reading & Culture Quizzes & Tests: *Andréa McColgan Javel, Nathalie Drouglazet, Nicole Fronteau, Anne-Marie Godfrey, Klara Tolnay*
- Listening Comprehension Performance Tests: *Richard Ladd, Sophie Masliah, Marie-Claire Antoine*
- Speaking Performance Tests: *Richard Ladd, Sophie Masliah*
- Writing Performance Tests: *Richard Ladd, Nicole Fronteau*

C, 5

Copyright © by McDougal Littell, a division of Houghton Mifflin Company.

All rights reserved.

Permission is hereby granted to teachers to reprint or photocopy in classroom quantities the pages or sheets in this work that carry a McDougal Littell, a division of Houghton Mifflin Company, copyright notice. These pages are designed to be reproduced by teachers for use in their classes with accompanying McDougal Littell, a division of Houghton Mifflin Company, material, provided each copy made shows the copyright notice. Such copies may not be sold, and further distribution is expressly prohibited. With the exception of not-for-profit transcription in Braille, McDougal Littell, a division of Houghton Mifflin Company, is not authorized to grant permission for further uses of copyrighted selections reprinted in this text without the permission of their owners. Permission must be obtained from the individual copyright owners as identified herein. Address inquiries to Supervisor, Rights and Permissions, McDougal Littell, a division of Houghton Mifflin Company, P.O. Box 1667, Evanston, IL 60204

ISBN 13: 978-0-618-29934-8   ISBN 10: 0-618-29934-3
6 7 8 9 — BHV — 08 07

Discovering
FRENCH
Nouveau!

ROUGE

Unité 8

Table of Contents

Table of Contents
Unité 8. En ville

Unit Resources

To the Teacher

The **Unit Resource Books** that accompany each unit of *Discovering French, Nouveau!–Rouge* provide a wide variety of materials to practice, expand on, and assess the material in the *Discovering French, Nouveau!–Rouge* student text.

Components

Following is a list of components included in each **Unit Resource Book,** correlated to each *Partie:*
- Workbook, Teacher's Edition
- *Activités pour tous,* Teacher's Edition
- Lesson Plans
- Block Scheduling Lesson Plans
- Family Letter
- Absent Student Copymasters
- Family Involvement
- Audioscripts
- Lesson Quizzes

Unit Resources include the following materials:
- *Activités pour tous* Lecture, Teacher's Edition
- Video Activities
- Videoscripts
- Assessment
    Unit Test
    Reading and Culture Quizzes and Tests
    Listening Comprehension Performance Test
    Speaking Performance Test
    Writing Performance Test
    Multiple Choice Test Items
    Test Scoring Tools
- Audioscripts
- Answer Key
- Student Text Answer Key
- Listening/Speaking Activities Answer Key

Component Description

Workbook, Teacher's Edition

The *Discovering French, Nouveau!–Rouge* **Workbook** directly references the student text. It provides additional practice to allow students to build their control of French and develop French proficiency. The activities provide guided communicative practice in meaningful contexts and frequent opportunity for self-expression.

Listening/Speaking Activities give students the opportunity to demonstrate comprehension of spoken French in a variety of realistic contexts. Students listen to excerpts from the CD that accompanies the *Discovering French, Nouveau!–Rouge* program while working through listening activities to improve both general and discrete comprehension skills.

Writing Activities give students the chance to develop their writing skills and put into practice what they have learned in class. The last one or two activities are called *Communication* and encourage students to express themselves in various additional communicative situations.

Activités pour tous, Teacher's Edition

The activities in *Activités pour tous* include vocabulary, grammar, and reading practice at varying levels of difficulty. Each practice section is three pages long, with each page corresponding to a level of difficulty (A, B, and C). A is the easiest and C is the most challenging.

Lesson Plans

The **Lesson Plans** follow the general sequence of a *Discovering French, Nouveau!–Rouge* lesson. Teachers using these plans should become familiar with both the overall structure of a *Discovering French, Nouveau!–Rouge* lesson and with the format of the lesson plans and available ancillaries before translating these plans to a daily sequence.

Block Scheduling Lesson Plans

These plans are structured to help teachers maximize the advantages of block scheduling, while minimizing the challenges of longer periods.

Family Letter and Family Involvement

This section offers strategies and activities to increase family support for students' study of French language and culture.

Absent Student Copymasters

The **Absent Student Copymasters** enable students who miss part of a Unit to go over the material on their own. The **Absent Student Copymasters** also offer strategies and techniques to help students understand new or challenging information. If possible, make a copy of the **CD, video,** or **DVD** available, either as a loan to an absent student or for use in the school library or language lab.

Video Activities and Videoscript

The **Video Activities** that accompany the **Video** or **DVD** for each module focus students' attention on each video section and reinforce the material presented in the module. A transcript of the **Videoscript** is included for each Unit.

Audioscripts

This section provides scripts for the **Audio Program,** including those for the **Workbook** and the **Assessment Program.**

Assessment

Lesson Quizzes

The **Lesson Quizzes** provide short accuracy-based vocabulary and structure assessments. They measure how well students have mastered the new conversational phrases, structures, and vocabulary in the lesson. Also designed to encourage students to review material in a given lesson before continuing further in the unit, the quizzes provide an opportunity for focused cyclical re-entry and review.

Unit Tests

The **Unit Tests** are intended to be administered upon completion of each unit. They may be given in the language laboratory or in the classroom. The total possible score for each test is 100 points. Scoring suggestions for each section appear on the test sheets. The **Answer Key** for the **Unit Tests** appears at the end of the **Unit Resource Book.**

There is one **Unit Test** for each of the ten units in *Discovering French, Nouveau!–Rouge.*

Reading and Culture Quizzes and Tests

This section offers a variety of achievement quizzes and tests for the readings and cultural material in *Discovering French, Nouveau!–Rouge.*

Speaking Performance Test

These tests enable teachers to evaluate students' comprehension, ability to respond in French, and overall fluency.

Listening Comprehension Performance Test

The **Listening Comprehension Performance Test** is designed for group administration. The test is divided into two parts, *Scènes* and *Contextes.* The listening selections are recorded on CD, and the full script is also provided so that the teacher can administer the test either by playing the CD or by reading the selections aloud.

Writing Performance Test

The **Writing Performance Test** gives students the opportunity to demonstrate how well they can use the material in the unit for self-expression. The emphasis is not on the production of specific grammar forms, but rather on the communication of meaning. Each test contains several guided writing activities, which vary in format from unit to unit.

Multiple Choice Test Items

These are the print version of the multiple choice questions from the **Test Generator.** They are contextualized and focus on vocabulary, grammar, reading, writing, and cultural knowledge.

Answer Key

The Answer Key includes answers that correspond to the material found in the *Unit Resource Book,* as well as in the *Student Text.*

Nom _____ Date _____

Discovering FRENCH Nouveau! ROUGE

Unité 8 Partie 1 Workbook TE

Unité 8. En ville

PARTIE 1

WRITING ACTIVITIES

A 1. De bonnes idées Ce dimanche, votre meilleur ami et vous, vous essayez de décider ce que vous allez faire. Votre ami vous dit ce qu'il souhaiterait et vous lui suggérez des solutions. Soyez logique! (sample answers)

▶ moi / savoir quoi faire cet après-midi
VOTRE AMI: Ah, si je savais quoi faire cet après-midi . . .

VOUS: Et si tu faisais un tour en ville?

1. toi et moi / avoir une voiture
VOTRE AMI: Ah, si nous avions une voiture . . .
VOUS: Et si nous prenions le bus?

2. Marisol / venir avec nous au parc
VOTRE AMI: Ah, si elle venait avec nous au parc . . .
VOUS: Et si elle nous y rencontrait?

3. toi / inviter Delphine
VOTRE AMI: Ah, si tu invitais Delphine . . .
VOUS: Et si je lui téléphonais?

4. toi et moi / prendre un pot avec Charles et Joëlle
VOTRE AMI: Ah, si nous prenions un pot avec Charles et Joëlle . . .
VOUS: Et si nous les retrouvions au café?

5. tes parents / me prêter leur voiture
VOTRE AMI: Ah, si tes parents me prêtaient leur voiture . . .
VOUS: Et si tu demandais celle de tes parents?

6. moi / sortir avec Dominique
VOTRE AMI: Ah, si je sortais avec Dominique . . .
VOUS: Et si tu lui donnais rendez-vous?

7. toi / avoir la télévision
VOTRE AMI: Ah, si tu avais la télévision . . .
VOUS: Et si j'en achetais une?

8. ton frère et toi / voir l'exposition
VOTRE AMI: Ah, si vous voyez l'exposition . . .
VOUS: Et si nous y allions cet après-midi?

Unité 8 · Partie 1

Workbook TE

B **2. Au rendez-vous** Vous avez eu rendez-vous avec vos amis en ville. À votre retour, votre petit frère vous demande de présicer ce qui s'est passé. Répondez à ses questions affirmativement ou négativement. (Attention: utilisez des pronoms si nécessaire et mettez les verbes au plus-que-parfait.) Soyez logique!

▶ Pourquoi Arielle n'a-t-elle pas choisi ce film au ciné? (déjà voir) _Parce qu'elle l'avait déjà vu._

1. Pourquoi n'as-tu pas montré les photos à Pierre?

   (apporter) _Parce que je ne les avais pas apportées._

2. Pourquoi n'es-tu pas descendu(e) du bus au bon arrêt?

   (s'endormir) _Parce que je m'étais endormi(e)._

3. Pourquoi Virginie ne t'a-t-elle pas donné l'adresse de Paul?

   (oublier) _Parce qu'elle l'avait oubliée._

4. Pourquoi Pierre et Benoît ne vous ont-ils pas retrouvés au café?

   (arriver) _Parce qu'ils n'étaient pas arrivés._

5. Pourquoi Sébastien et toi n'avez-vous pas été au McDonald's?

   (déjeuner) _Parce que nous avions déjeuné._

6. Pourquoi Anna ne s'est-elle pas promenée avec vous?

   (se blesser) _Parce qu'elle s'était blessée._

7. Pourquoi Rose et toi n'avez-vous pas été à l'heure au rendez-vous?

   (se dépêcher) _Parce que nous ne nous étions pas dépêché(e)s._

8. Pourquoi n'as-tu pas gardé ces lunettes de soleil?

   (emprunter) _Parce que je les avais empruntées._

Discovering FRENCH *Nouveau!*
R O U G E

B 3. Souvenirs de vacances Avec vos amis, vous comparez vos vacances de l'année dernière à celles de l'année d'avant. Dans vos réponses, utilisez des pronoms (**le la, l', les**) si nécessaire et ajoutez une expression de votre choix. Soyez logique! (sample answers)

▶ Ma soeur et moi, nous avons acheté nos souvenirs à l'aéroport.
L'année d'avant, nous les avions achetés en ville.

1. Mes parents sont allés à Marseille.
   L'année d'avant, ils étaient allés à Paris.

2. Tu as voyagé en train.
   L'année d'avant, tu avais voyagé en voiture.

3. Mes cousines ont fait leurs réservations à l'avance.
   L'année d'avant, elles les avaient faites tard.

4. Mon neveu et toi, vous êtes restés à l'hôtel.
   L'année d'avant, vous étiez restés dans une auberge.

5. J'ai organisé mes vacances moi-même.
   L'année d'avant, je les avais organisées avec mes parents.

6. Ma mère s'est promenée à la campagne.
   L'année d'avant, elle s'était promenée à la montagne.

7. Toi et moi, nous nous sommes retrouvé(e)s à Dijon.
   L'année d'avant, nous nous étions retrouvé(e)s à Nice.

8. J'ai fait la connaissance des cousins de ma correspondante.
   L'année d'avant, j'avais fait la connaissance de ses parents.

9. Mon frère a rencontré ses amis en France au mois de juillet.
   L'année d'avant, il les avait rencontrés en Espagne au mois d'août.

10. Mon frère et moi, nous sommes partis en France.
    L'année d'avant, nous étions partis en Tunisie.

ROISSYBUS

ROISSY ⟷ PARIS-OPERA
Navette directe toutes les 15 mn
En 45mn en moyenne

CHARLES-DE-GAULLE AIRPORT ⟷ PARIS-OPERA
direct shuttle every 15 min.
In 45min. on average

l'esprit libre

RATP

LISTENING/SPEAKING ACTIVITIES

Le français pratique: Un rendez-vous en ville

1. Compréhension orale Vous allez entendre une conversation entre deux jeunes Françaises. Ensuite, vous allez écouter une série de phrases concernant cette conversation. D'abord, écoutez la conversation.

. . .

Écoutez de nouveau la conversation.

. . .

Maintenant, écoutez bien chaque phrase et marquez dans votre cahier si elle est vraie ou fausse. Vous allez entendre chaque phrase deux fois.

	vrai	faux		vrai	faux
1.	☐	☑	6.	☐	☑
2.	☑	☐	7.	☐	☑
3.	☐	☑	8.	☐	☑
4.	☑	☐	9.	☑	☐
5.	☑	☐	10.	☑	☐

2. Échanges Vous allez entendre une série d'échanges. Chaque échange consiste en une question et une réponse. Écoutez bien chaque échange, puis complétez la réponse dans votre cahier. Vous allez entendre chaque réponse deux fois. D'abord, écoutez le modèle.

▶ Tu veux venir au ciné, ce soir?
Non, _j'ai un rendez-vous avec_ Pierre.

1. Non, je regrette. _Je sors avec une amie_.

2. Oui, _je l'ai rencontré_ hier au stade.

3. Il se trouve _en face du cinéma_, mademoiselle.

4. Oui, _on se retrouve devant la poste_ à sept heures.

5. Tes clés? Attends . . . Je les ai vues _quelque part_.

6. Allons _prendre un pot_ ensemble.

7. Non, je n'oublie pas. _À samedi_, alors.

8. _Entendu_!

9. Non. _J'ai fait la connaissance_ d'un garçon très sympa.

10. J'habite _à côté de la poste_.

3. Conversation Vous allez entendre une conversation entre deux copains, Éric et Paul. Écoutez bien cette conversation, puis répondez aux questions posées.

. . .

Écoutez de nouveau la conversation.

. . .

Maintenant, répondez oralement aux questions suivantes. Vous allez entendre chaque question deux fois. *Please see the Answer Key on page 161.*

4. Instructions Vous allez entendre une conversation entre Robert et Jacqueline Lambert. Vous allez écouter cette conversation deux fois. Écoutez bien et notez les activités de chacun pour le week-end dans votre cahier.

. . .

Écoutez de nouveau la conversation.

SAMEDI		DIMANCHE	
8h		8h	
9h		9h	Golf Robert
10h	Musée Jacqueline-Simone	10h	
11h		11h	
12h30	Restaurant «Le Gourmet»	12h	Cafétéria du golf Robert-
13h	Robert-Jacques Durand	13h	Jacqueline
14h	Coiffeur Jacqueline	14h	
15h		15h	
16h		16h	
17h		17h	
18h		18h	Aéroport Robert-Jacqueline:
19h	Dîner Robert-Jacqueline avec	19h	Arrivée des enfants
20h	les Martinet, Opéra	20h	

Langue et communication

Pratique orale 1 Joël aimerait bien changer certaines choses dans sa vie. Écoutez ce qu'il aimerait faire ou avoir. Ensuite, jouez le rôle de Joël et transformez chaque phrase en commençant votre réponse par **Ah, si . . .** Utilisez l'imparfait dans vos phrases. D'abord, écoutez le modèle.

▶ Joël aimerait avoir plus d'argent.
  Ah, si j'avais plus d'argent!   *Please see the Answer Key on page 161.*

Pratique orale 2 Vous allez entendre certaines personnes vous dire ce qu'elles ou d'autres personnes ont fait cet été. Demandez-leur si elles avaient fait les mêmes choses l'été d'avant. D'abord, écoutez le modèle.

▶ L'été dernier, je suis resté chez moi.
  Et l'été d'avant, tu étais resté chez toi aussi?
  Please see the Answer Key on pages 161–162.

Nom _____ Date _____

Discovering
FRENCH
Nouveau!
R O U G E

Unité 8   Partie 1

Activités pour tous

Unité 8. En ville

PARTIE 1   Le français pratique

A

Activité 1   L'emplacement   Répondez aux questions.

1. Où est la tasse de café?
   Elle est devant les livres.

2. Où est le livre qui est ouvert?
   Il est sur le gros livre.

3. Où est la feuille de papier?
   Elle est sous le gros livre.

4. Où est le cartable?
   Il est par terre.

5. Où est le tabouret?
   Il est derrière la table.

6. Où est le crayon?
   Il est à côté des livres.

Activité 2   Rencontres   Faites correspondre les phrases qui ont le même sens.

b _____ 1. On l'a rencontrée au café.

d _____ 2. On a bu un verre au café.

a _____ 3. On s'est rencontré au café.

c _____ 4. On avait un rendez-vous au café.

a. On s'est retrouvé au café.

b. On a fait sa connaissance au café.

c. On s'était donné rendez-vous au café.

d. On a pris un pot au café.

Activité 3   Les amis   Complétez les petits dialogues avec quatre expressions différentes.

1. — Tu la connais?
   — Oui, on a *fait sa connaissance* hier.

2. — On se voit, ce soir?
   — C'est *entendu* !

3. — Bon, je reviens dans une heure.
   — À *tout à l'heure* !

4. — Vous avez un rendez-vous au café?
   — Oui, on va *s'y retrouver* . Tu viens?

Nom _____   Date _____

B

Activité 1   L'emplacement   Répondez aux questions.

1. Où est le vélo?
   Il est à côté de la table.

2. Où est le sac?
   Il est par terre, devant la table.

3. Où est la casquette?
   Elle est sous la table.

4. Où est l'imper?
   Il est sur la chaise.

5. Où sont les haut-parleurs?
   Ils sont derrière la mini-chaîne.

6. Où est la chaise?
   Elle est à côté de la table.

Activité 2   Rencontres   Récrivez les phrases en remplaçant les expressions soulignées.

1. On va boire un verre en ville. *On va prendre un pot en ville.*

2. J'ai enfin rencontré Annie hier. *J'ai enfin fait la connaissance d'Annie hier.*

3. J'ai dit à Marc de m'attendre au café *J'ai donné rendez-vous à Marc dans une heure.*
   dans une heure.

4. C'est d'accord! *C'est entendu!*

Activité 3   Une invitation   Complétez le dialogue de façon logique.

—Hugues, est-ce que tu as *fait la connaissance de* Laetitia?

—Non, pas encore.

—Écoute, on *se retrouve* en face du cinéma dans une heure. Tu viens?

—J'aimerais bien, mais je ne peux pas. J'ai un *rendez-vous* avec Yves.

—Bon, alors on peut *se donner rendez-vous* plus tard pour *prendre un pot* .

Nom _____ Date _____

Discovering
FRENCH
Nouveau!
R O U G E

Unité 8 Partie 1   Activités pour tous

C

Activité 1 L'emplacement Répondez aux questions en utilisant six expressions de lieu différentes.

1. Où sont les gens?
   Ils sont dans la rue.

2. Où est la bibliothèque?
   Elle est derrière l'église.

3. Où est l'église?
   Elle est devant la bibliothèque.

4. Où est la fontaine?
   Elle est en face de l'église.

5. Où est le cinéma?
   Il est à gauche du supermarché.

6. Où est le supermarché?
   Il est entre l'hôtel et le cinéma.

Activité 2 Rencontres Décrivez chaque situation en utilisant une expression autre que rencontrer.

1. Vous êtes à une fête. Vous parlez avec quelqu'un que vous ne connaissez pas.
   Je fais sa connaissance.

2. Vous voyez une amie. Vous vous parlez. Deux heures plus tard, elle arrive au café.
   Nous nous sommes donné rendez-vous.

3. Vous appelez le serveur. Un quart d'heure plus tard, il apporte vos boissons.
   Nous prenons un pot.

4. C'est le soir. Vous téléphonez à des amis. Une heure plus tard, vous êtes au cinéma.
   J'y retrouve mes amis.

Activité 3 Les amis Répondez aux questions. (Sample answers)

1. Quand est-ce que vous avez fait la connaissance de votre meilleur(e) ami(e)?
   J'ai fait sa connaissance il y a sept ans.

2. Où allez-vous prendre un pot avec vos amis?
   Nous allons prendre un pot au café du coin.

3. Avec qui est-ce que vous sortez, d'habitude?
   Je sors avec mes trois meilleurs amis.

4. Où est-ce que vous donnez rendez-vous à vos amis?
   Je leur donne rendez-vous devant l'école.

URB
p. 9

Nom _____ Date _____

Langue et communication

A

Activité 1 Et si . . . Faites correspondre les phrases qui vont ensemble.

c _____ 1. J'ai envie de ce beau blouson.   a. Et si on allait prendre un pot?

e _____ 2. Il fait beau, aujourd'hui.   b. Et si je te le présentais?

a _____ 3. Je n'ai rien à faire, ce soir.   c. Et si tu l'achetais?

b _____ 4. Je ne connais pas le garçon, là-bas.   d. Et si on se donnait rendez-vous au ciné?

d _____ 5. J'ai envie de voir un film.   e. Et si on faisait un pique-nique?

Activité 2 Cette semaine Mettez les phrases en ordre, à partir du jour le plus récent, de **1** à **8**.

8 _____ a. Une amie m'en avait parlé.   *3* _____ e. Hier soir, nous avons dîné dehors.

1 _____ b. À midi, j'ai mangé un steak-frites.   *2* _____ f. J'avais faim: j'avais fait du sport.

7 _____ c. Il y a deux jours, j'ai acheté un livre.   *4* _____ g. L'après-midi, nous étions allés au parc.

5 _____ d. Avant-hier, nous avons fait du tennis.   *6* _____ h. Le matin, nous avions réservé un court.

Activité 3 On fait toujours la même chose! Mettez les phrases au plus-que-parfait et en utilisant un pronom.

1. L'été dernier, nous avons fait _____ .

   L'été d'avant aussi, nous *en avions fait* _____ .

2. L'hiver, nous sommes allés _____ .

   L'hiver d'avant aussi, nous *y étions allés* _____ .

3. Vendredi dernier, j'ai _____ .

   Le vendredi d'avant aussi, j'*en avais lu un* _____ .

4. Samedi dernier, mes amis sont venus _____ .

   Le samedi d'avant aussi, ils *y étaient venus* _____ .

5. Dimanche dernier, mes parents ont dîné _____ .

   Le dimanche d'avant aussi, ils *y avaient dîné* _____ .

B

Activité 1 Et si . . . Écrivez la réponse appropriée, en utilisant les éléments des phrases données.

Modèle: On voudrait aller au cinéma . . .   *Et si on y allait?*

1. Nous aimerions bien inviter Lucie . . .   Et si nous l'invitions?
2. Je voudrais téléphoner à Jérôme . . .   Et si tu lui téléphonais?
3. On devrait faire un gâteau . . .   Et si on en faisait un?
4. Tu devrais acheter ces bottes . . .   Et si je les achetais?
5. Nous devrions étudier . . .   Et si nous étudiions?

Activité 2 Les quatre saisons Complétez les phrases à l'aide des images.

1. L'été dernier, nous avons fait du camping.

   L'été d'avant, nous avions fait de la voile.

2. L'automne dernier, j'ai fait de la danse moderne.

   L'automne d'avant, j'avais fait de la gym.

3. L'hiver dernier, les Petit ont fait du ski.

   L'hiver d'avant, ils avaient nagé.

4. Le printemps dernier, Luc a fait de l'escalade.

   Le printemps d'avant, il avait fait du jogging.

Activité 3 Ce que j'ai fait hier Complétez le paragraphe en mettant tous les verbes au plus-que-parfait.

Hier, j'ai passé une bonne journée. Le jour d'avant aussi, j'avais passé une bonne journée. Le matin, je suis allée à l'école. Avant ça, j'étais allée chez mes grands-parents. À midi, mes amis et moi, nous avons parlé de nos projets d'été. Avant ça, nous avions parlé de nos devoirs. L'après-midi, nous sommes descendus en ville. Avant ça, nous étions descendus du bus à la Porte des Ternes pour faire une course. Le soir, mes amis sont venus chez moi. Avant ça, nous nous étions retrouvés au café.

URB p. 11

C

Activité 1 Et si . . . À chaque situation, répondez en faisant une suggestion.

Modèle: Je suis fatigué.　　　　　　*Et si tu allais te coucher?*

1. J'ai vraiment faim!　　　　　Et si tu mangeais quelque chose?

2. Tiens, ce café a l'air sympa.　　Et si on y allait?

3. Qu'est-ce que nous avons, comme devoirs!　Et si nous étudiions?

4. Oh là! Il est tard!　　　　Et si on rentrait?

Activité 2 Cette semaine À l'aide des éléments du tableau, faites des phrases en utilisant le plus-que-parfait. (Sample answers)

	Lundi	Mercredi	Vendredi	Samedi	Dimanche
L'après-midi					
Le soir					

1. Lundi dernier, j'ai regardé la télé. Avant ça, j'avais lu un livre.

2. Mercredi, j'ai fait des croque-monsieurs. Avant ça, j'étais allé à la piscine.

3. Vendredi, j'ai fait la vaisselle. Avant ça, j'avais mis la table.

4. Samedi, nous sommes allés au restaurant. Avant ça, nous étions allés au cinéma.

5. Dimanche, nous avons étudié. Avant ça, nous avions fait une promenade.

Activité 3 Un après-midi Faites des phrases en utilisant le plus-que-parfait et le pronom autant que possible.

1. Maman / cuire les pommes de terre / je / éplucher

   Maman a cuit les pommes de terre. Avant ça, je les avais épluchées.

2. ma soeur / faire la vaisselle / nous / débarrasser la table

   Ma soeur a fait la vaisselle. Avant ça, nous avions débarrassé la table.

3. je / ranger les assiettes / ma soeur / essuyer

   J'ai rangé les assiettes. Avant ça, ma soeur les avait essuyées.

4. nous / faire une promenade / nous / aller au musée

   Nous avons fait une promenade. Avant ça, nous étions allés au musée.

5. nous / dîner au restaurant avec des amis / nous / se retrouver devant le musée

   Nous avons dîné au restaurant avec des amis. Avant ça, nous nous étions retrouvés devant le musée.

Discovering
FRENCH
Nouveau!
ROUGE

PARTIE 1   page 302

Objectives

Communication Functions and Contexts   To make a date or arrange to meet friends at a specific time and place

Linguistic Goals   To use the imperfect to make wishes or suggestions
To use the imperfect and pluperfect to narrate past actions in sequence

Reading and Cultural Objectives   To learn how French cities developed historically
To learn about the advantages and disadvantages of urban life
To read for information

Motivation and Focus

❑ *Unit Opener:* Have students look at the photos on pages 302–305 and describe the cities and aspects of city life pictured. Read *Thème et Objectifs*, page 302, and help students make predictions about the theme of the unit. Encourage students to give their opinions of city life. What can you do in the city? What are the good and bad points about living in cities? What difference might you expect to see between French and American cities?

❑ *INFO Magazine:* Have students read page 303 by first looking at the photos and realia to guess the theme of the article. Then have them skim the piece to find the cognates. Share the ADDITIONAL INFORMATION in the TE margin about the history of French cities. Use **Overhead Transparencies** 1 and 1(o) to review names and locations of French cities. Share the NOTES CULTURELLES, TE page 304. Read and discuss the articles on pages 304–305. Students can do the self-quiz activity and share their scores in small groups. Do the Teaching Strategies, TE pages 304–305, and *Et vous?*, page 303.

Presentation and Explanation

❑ *Le français pratique (Un rendez-vous en ville):* Model and have students repeat the expressions in the boxes on pages 306–307. Do the TEACHING STRATEGY in the side margin of TE page 306 to help students use the expressions to write a group story.

❑ *Langue et communication (La construction **si** + imparfait):* Present the use of **si** + **imparfait** to express wishes or suggestions, page 308. Model the examples for students to repeat. Use the TEACHING STRATEGY: Warm-Up, TE page 308, to have students express wishes using the imperfect. Explain the NOTES LINGUISTIQUES.

❑ *Langue et communication (Le plus-que-parfait):* Introduce the pluperfect, page 308. Explain its use to describe what someone had done or what had happened before another action. Model the forms, guiding students to notice the agreement of the past participle. Do the TEACHING STRATEGY, TE page 309, to have students work in groups using the pluperfect to describe past actions.

Guided Practice and Checking Understanding

❑ Use **Overhead Transparency** 47 and the activities on page A101 to help students practice making plans to get together.

❑ Have students do pages 151–152 of the **Workbook** as you play the **Audio**, CD 8, Tracks 1–6, or read from the **Audioscript**, pages 23–26.

❏ Show **Video** 8, *Vidéo-Drame*, or read from the **Videoscript**.

Independent Practice

❏ *Pair activities:* Model the activities on pages 306–309. Students can work in pairs on activity 1 and *Conversations libres* (pages 306–307) and activity 1 (page 309). Have students check their work using the **Student Text Answer Key**, pp. 153–160.

❏ *Homework:* Assign activities 2 and 4 on page 309 for homework.

❏ Have students do the activities in **Activités pour tous**, pages 129–134.

Monitoring and Adjusting

❏ Have students do the writing activities on pages 77–79 of the **Workbook.**

❏ As students work on the practice activities, monitor use of *si* + the imperfect, the pluperfect, and vocabulary and expressions for arranging dates. Refer students back to the boxes on pages 306–308 as needed. Do the TEACHING STRATEGY on TE page 307.

Assessment

❏ Use the quiz for *INFO Magazine* in **Reading and Culture Tests and Quizzes.** Use the **Lesson Quiz** for *Partie 1* as appropriate.

Reteaching

❏ Reteach the formation of the imperfect tense using the *Reference* section of the textbook, *Appendix A* page R5.

❏ See *Unité 1*, page 44, to reteach reflexive verbs.

Extension and Enrichment

❏ Use the SUPPLEMENTARY VOCABULARY, TE page 307, to extend the practice activities.

❏ Students can read any of the *Interlude culturel 8* selections, page 334–343, for information.

Summary and Closure

❏ Show **Overhead Transparency** 47 and have students do the Goal 1 activities on page A101. As students present the conversations and explain their preferences, guide others to summarize the communicative and linguistic goals demonstrated.

❏ Record any of the *Conversations libres* on page 307 for inclusion in students' Oral Portfolios. See the suggestions and forms in **Portfolio Assessment.**

ROUGE

PARTIE 1   page 302

Block schedule (2 days to complete)

Objectives

Communication Functions and Contexts   To make a date or arrange to meet friends at a specific time and place

Linguistic Goals   To use the imperfect to make wishes or suggestions
To use the imperfect and pluperfect to narrate past actions in sequence

Reading and Cultural Objectives   To learn how French cities developed historically
To learn about the advantages and disadvantages of urban life
To read for information

Block Schedule

Retention Have students write a journal entry on what they would do with a million dollars.
Que ferais-tu si tu étais multi-millionaire? They can discuss how they would change the world or what they would do to improve the environment. ■

Day 1

Motivation and Focus

❑ *Unit Opener:* Have students look at the photos on pages 302–305 and describe the cities and aspects of city life pictured. Read *Thème et Objectifs*, page 302, and help students make predictions about the theme of the unit. Encourage students to give their opinions of city life. What can you do in the city? What are the good and bad points about living in cities? What difference might you expect to see between French and American cities?

❑ *INFO Magazine:* Have students read page 303 by first looking at the photos and realia to guess the theme of the article. Then have them skim the piece to find the cognates. Share the ADDITIONAL INFORMATION in the TE margin about the history of French cities. Use **Overhead Transparencies** 1 and 1(o) to review names and locations of French cities. Share the NOTES CULTURELLES, TE page 304. Read and discuss the articles on pages 304–305. Students can do the self-quiz activity and share their scores in small groups. Do the TEACHING STRATEGIES, TE pages 304–305, and *Et vous?*, page 303.

Presentation and Explanation

❑ *Le français pratique (Un rendez-vous en ville):* Model and have students repeat the expressions in the boxes on pages 306–307. Do the TEACHING STRATEGY in the side margin of TE page 306 to help students use the expressions to write a group story.

❑ *Langue et communication (La construction **si** + **imparfait**):* Present the use of **si** + **imparfait** to express wishes or suggestions, page 308. Model the examples for students to repeat. Use the TEACHING STRATEGY: WARM-UP, TE page 308, to have students express wishes using the imperfect. Explain the NOTES LINGUISTIQUES.

❑ *Langue et communication (Le plus-que-parfait):* Introduce the pluperfect, page 308. Explain its use to describe what someone had done or what had happened before another action. Model the forms, guiding students to notice the agreement of the past participle. Do the TEACHING STRATEGY, TE page 309, to have students work in groups using the pluperfect to describe past actions.

Guided Practice and Checking Understanding

❑ Use **Overhead Transparency** 47 and the activities on p. A101 to help students practice making plans to get together.
❑ Have students do pages 151–152 of the **Workbook** as you play the **Audio**, CD 8, Tracks 1–6, or read from the **Audioscript**, pages 45–47.
❑ Show the Mise en scène section of **Video** 8, *Vidéo-Drame*, or read from the **Videoscript.**

Independent Practice

❑ *Pair activities:* Model the activities on pages 306–309. Students can work in pairs on activity 1 and *Conversations libres* (pages 306–307) and activity 1 (page 309). Have students check their work using the **Student Text Answer Key**, pp. 153–160.
❑ *Homework:* Assign activities 2 and 4 on page 309 for homework.

Day 2

Monitoring and Adjusting

❑ Have students do the writing activities on pages 77–79 of the **Workbook**.
❑ As students complete the **Workbook** activities, monitor use of *si* + the imperfect, the pluperfect, and vocabulary and expressions for arranging dates. Refer students back to the boxes on pages 306–308 as needed. Do the TEACHING STRATEGY on TE page 307.

Reteaching (as required)

❑ Reteach the formation of the imperfect tense using the *Reference* section of the textbook, *Appendix A* page R5.
❑ See *Unité 1*, page 44, to reteach reflexive verbs.

Extension and Enrichment (as desired)

❑ Use the SUPPLEMENTARY VOCABULARY, TE page 307, to extend the practice activities.
❑ For expansion activities, direct students to www.classzone.com.
❑ Students can read any of the *Interlude culturel 8* selections, pages 334–343, for information.
❑ Have students do the **Block Schedule Activity** at the top of page 15 of these lesson plans.
❑ Use the **Block Scheduling Copymasters**, pages 121–128.

Summary and Closure

❑ Show **Overhead Transparency** 47 and have students do the Goal 1 activities on page A101. As students present the conversations and explain their preferences, guide others to summarize the communicative and linguistic goals demonstrated.
❑ Record any of the *Conversations libres* on page 307 for inclusion in students' Oral Portfolios. See the suggestions and forms in **Portfolio Assessment**.

Assessment

❑ Use the quiz for *INFO Magazine* in **Reading and Culture Tests and Quizzes**. Use the **Lesson Quiz** for *Partie 1* as appropriate.

Date:

Dear Family,

As we continue with our study of French, our focus for this unit is on life in the city—the pros and cons of urban life as well as the attractions of a city for both its inhabitants and visitors. Students are also learning about a historical perspective—specifically, how French cities developed and what they look like. And, because street artists are common in many French cities, especially Paris, students will also learn about this cultural phenomenon.

As you know, the *Discovering French* program focuses on real-life communication. In our current unit, students will learn how to arrange to meet friends, to explain where people live, and to describe their own neighborhoods. In addition, students will learn how to make wishes or suggestions, to formulate polite requests, to narrate past actions in sequence, and to indicate what they would do in certain circumstances.

Please feel free to call me with any questions or concerns you might have as your student practices reading, writing, listening, and speaking in French.

Sincerely,

Nom _____

Classe _____ Date _____

PARTIE 1 Le français pratique, pages 302–307

Materials Checklist
❑ **Student Text**
❑ **Audio** CD 8, Tracks 1–4
❑ **Video** 8, *Vidéo-Drame*
❑ **Workbook**

Steps to Follow
❑ Unit opener: Read *Thème et objectifs* in the text (p. 302). Look at the photograph. Which unit themes or objectives does the photograph illustrate?
❑ Read *Les villes françaises* in *INFO Magazine* in the text (pp. 303–304). What percentage of the French live in urban areas? In what century were Marseilles and Nice founded? Write a paragraph about your city or town, answering the questions in *Et vous?* on page 303.
❑ Study *Un rendez-vous en ville* in the text (p. 306). Read the new words and expressions aloud.
❑ Do Listening/Speaking Activities 1–4 in the **Workbook** (pp. 151–152). Use **Audio** CD 8, Tracks 1–4.
❑ Do Activity 1 in the text (p. 306). Write the dialogue in complete sentences. Read it aloud.
❑ Choose one situation from *Conversations libres* (p. 307) and write both parts of the dialogue.
❑ Watch **Video** 8, *Vidéo-Drame*. Pause and replay if necessary.

If You Don't Understand . . .
❑ Listen to the **CD** in a quiet place. Try to stay focused. If you get lost, stop the **CD**. Replay it and find your place.
❑ Watch the **Video** or **DVD** in a quiet place. Try to stay focused. If you get lost, stop the **Video** or **DVD**. Replay it and find your place.
❑ Read the activity directions carefully. Say them or write them in your own words.
❑ Read your answers aloud. Check spelling and accents.
❑ When you write a sentence, ask yourself, "What do I mean? What am I trying to say?"
❑ On a separate sheet of paper, write down the words that are new. Learn their meanings.
❑ Write down any questions so that you can ask your partner or your teacher later.

Self Check

Choisissez la réponse logique. Suivez le modèle.

▶ Qu'est-ce que tu fais samedi? (je suis libre / il y a du vent)
Je suis libre.

1. Où est-ce qu'on va se donner rendez-vous? (prendre un pot / devant le café)
2. À quelle heure est-ce qu'on va se retrouver? (à midi / faire un tour de ville)
3. Est-ce que tu veux . . . (en face du café / aller au ciné)?
4. Où est-ce qu'on se retrouve? (voir une exposition / chez moi)
5. À quelle heure est-ce qu'on va se rencontrer? (à 10h / prendre un pot)

Answers

1. devant le café 2. à midi 3. aller au ciné 4. chez moi 5. à 10h

Discovering FRENCH *Nouveau!*

R O U G E

PARTIE 1 Langue et communication A/B, pages 308–309

Materials Checklist

❏ **Student Text**
❏ **Audio** CD 8, Tracks 5–6
❏ **Video** 8, *Vidéo-Drame*
❏ **Workbook**

Steps to Follow

❏ Study *La construction* **si** + *imparfait* in the text (p. 308). How do you express a wish or make a suggestion in French?
❏ Do Listening/Speaking Activity *Pratique orale 1* in the **Workbook** (p. 152). Use **Audio** CD 8, Track 5.
❏ Study *Le plus-que-parfait* in the text (p. 308). What tense do you use to express something that had happened before another past event?
❏ Do Listening/Speaking Activity *Pratique orale 2* in the Workbook (p. 152). Use **Audio** CD 8, Track 6.
❏ Do Activity 1 in the text (p. 309). Write complete sentences. Read your answers aloud.
❏ Do Activity 2 in the text (p. 309). Write complete sentences.
❏ Do Activities 3 and 4 in the text (p. 309). Read the answers aloud.
❏ Do Writing Activities 1–3 in the **Workbook** (pp. 77–79).
❏ Watch **Video** 8, *Vidéo-Drame*. Pause and replay if necessary.

If You Don't Understand . . .

❏ Listen to the **CD** in a quiet place. Try to stay focused. If you get lost, stop the **CD** and find your place.
❏ Watch the **Video** or **DVD** in a quiet place. Try to stay focused. If you get lost, stop the **Video** or **DVD**. Replay it and find your place.
❏ Read the activity directions carefully. Say them or write them in your own words.
❏ Write down any questions so that you can ask your partner or your teacher later.

Self Check

Mettez les verbes entre parenthèses au plus-que-parfait. Attention! Faites les changements nécessaires. Suivez le modèle.

▶ Quand nous sommes arrivés (Alicia / partir).
 Quand nous sommes arrivés, Alicia était partie.

1. Quand Jean a frappé à la porte (la fenêtre / se casser déjà).
2. Suzanne n'est pas allée au concert. (elle / rentrer trop tard)
3. Tu as dîné tard. (tu / jouer aux cartes)
4. Nous avons réservé la chambre mardi. (l'hôtel / être complet depuis lundi)

Answers

1. Quand Jean a frappé à la porte, la fenêtre s'était déjà cassée.   2. Suzanne n'est pas allée au concert. Elle était rentrée trop tard.   3. Tu as dîné tard. Tu avais joué aux cartes.   4. Nous avons réservé la chambre mardi. L'hôtel avait été complet depuis lundi.

Discovering FRENCH Nouveau!
ROUGE

PARTIE 1

Find out if a family member likes the city. Find out why or why not.

- First, explain your assignment.
- Point out all the reasons one might like the city, and the reasons one might not like the city. Model the correct pronunciation as you go over each reason. Be sure to give any necessary English equivalents.
- Ask the question, **Aimes-tu la ville?** If the family member answers yes, ask **Pourquoi?** If the family member answers no, ask **Pourquoi pas?** Have the family member choose from among the following choices. List as many as apply.
- When you have an answer, complete one of the sentences at the bottom of the page.

J'aime la ville. Pourquoi?   **Je n'aime pas la ville. Pourquoi pas?**

J'aime: ____   **Je n'aime pas:** ____

les restaurants   **la circulation**

les musées   **la pollution**

les magasins   **le bruit**

le cinéma   **les gens qui sont pressés**

la diversité ethnique et   **le manque de nature**

culturelle des gens

_____ aime la ville parce que _____

_____.

_____ n'aime pas la ville parce que _____

_____.

Nom _____

Classe _____ Date _____ _____

Discovering
FRENCH
Nouveau!
R O U G E

Interview a family member. Find out what he or she did this weekend and the previous weekend. Choose from among the following activities.

- First, explain your assignment.
- Review each activity, modeling the correct pronunciation as you point to each one. Be sure to provide any necessary English equivalents.
- Ask the question, **Qu'est-ce que tu as fait ce week-end?** Then, once you have an answer, ask: **Qu'est-ce que tu avais fait le week-end d'avant?**
- When you have both answers, complete the sentence.

Ce week-end:

j'ai regardé la télé

je suis allé (e) en ville

j'ai vu un ami

j'ai dormi

j'ai nettoyé la maison

Le week-end d'avant:

j'avais regardé la télé

j'étais allé(e) en ville

j'avais vu un ami

j'avais dormi

j'avais nettoyé la maison

Ce week-end, _____ _____

et le week-end d'avant, _____

_____.

PARTIE 1

Le français pratique: Un rendez-vous en ville

CD 8, Track 1

Activité 1. Compréhension orale, p. 306

Vous allez entendre une conversation entre deux jeunes Françaises. Ensuite, vous allez écouter une série de phrases concernant cette conversation. D'abord, écoutez la conversation.

Deux amies, Mélanie et Isabelle, sortent du lycée.

MÉLANIE: Dis, Isabelle, tu es libre, samedi?

ISABELLE: Non, je sors avec une copine.

MÉLANIE: Je la connais?

ISABELLE: Non, c'est une jeune fille que j'ai rencontrée la semaine dernière. Je prenais un pot au café avec Laurence. Cette fille est arrivée. Elle nous a demandé quelle heure il était. Elle avait un accent anglais. En fait, elle est américaine.

MÉLANIE: Comment le sais-tu?

ISABELLE: Nous avons discuté ensemble. Tu sais, j'aime bien avoir l'occasion de parler avec des étrangers. C'est toujours intéressant.

MÉLANIE: Et cette fille-là, tu l'as trouvée intéressante, j'imagine?

ISABELLE: Oui, elle est très sympa. Elle s'appelle Johanna. Elle a dix-neuf ans et elle vient d'arriver en France. Elle va travailler comme jeune fille au pair. Elle n'a pas encore d'amis ici, alors je lui ai proposé de faire un tour en ville avec moi samedi. Tu peux venir avec nous, si tu veux.

MÉLANIE: Oui, j'aimerais bien faire sa connaissance.

ISABELLE: Écoute, Mélanie, je lui ai donné rendez-vous à deux heures devant le Café du Théâtre.

MÉLANIE: Entendu. Je vous retrouve là-bas à deux heures.

Écoutez de nouveau la conversation.

Maintenant, écoutez bien chaque phrase et marquez dans votre cahier si elle est vraie ou fausse. Vous allez entendre chaque phrase deux fois.

1. Samedi, Isabelle sort avec un copain.
2. La semaine dernière, Isabelle a fait la connaissance d'une jeune fille.
3. Cette jeune fille est anglaise.
4. Isabelle aime parler avec des étrangers.
5. La jeune Américaine s'appelle Johanna.
6. Elle est en France depuis plusieurs mois.
7. Elle a beaucoup d'amis ici.
8. Isabelle a donné rendez-vous à Johanna pour aller au cinéma.
9. Mélanie aimerait bien faire la connaissance de Johanna.
10. Mélanie, Johanna et Isabelle vont se retrouver samedi à deux heures.

Maintenant, vérifiez vos réponses. You should have marked **vrai** for items 2, 4, 5, 9, and 10. You should have marked **faux** for items 1, 3, 6, 7, and 8.

CD 8, Track 2

Activité 2. Échanges

Vous allez entendre une série d'échanges. Chaque échange consiste en une question et une réponse. Écoutez bien chaque échange, puis complétez la réponse dans votre cahier. Vous allez entendre chaque réponse deux fois. D'abord, écoutez le modèle.

Modèle: Tu veux venir au ciné, ce soir?
Non, *j'ai un rendez-vous avec* Pierre.

1. Tu es libre, dimanche?
   Non, je regrette. *Je sors avec une amie.*
2. Tu as vu Sébastien, cette semaine?
   Oui, *je l'ai rencontré* hier au stade.
3. Où est le Café des Artistes, s'il vous plaît?
   Il se trouve *en face du cinéma*, mademoiselle.

4. On se donne rendez-vous pour demain soir?
Oui, *on se retrouve devant la poste* à sept heures.

5. Où sont mes clés?
Tes clés? Attends . . . Je les ai vues *quelqué part.*

6. Qu'est-ce qu'on fait, après les cours?
Allons *prendre un pot* ensemble.

7. Tu n'oublies pas qu'on sort ensemble samedi?
Non, je n'oublie pas. *À samedi,* alors.

8. Alors, on se retrouve ici à huit heures?
Entendu!

9. Tu t'es embêté à la soirée chez Éric?
Non. *J'ai fait la connaissance* d'un garçon très sympa.

10. Où est-ce que tu habites?
J'habite *à côté de la poste.*

CD 8, Track 3

Activité 3. Conversation

Vous allez entendre une conversation entre deux copains, Éric et Paul. Écoutez bien cette conversation, puis répondez aux questions posées.

Éric et Paul se retrouvent au café après les cours.

ÉRIC: Alors, Paul, qu'est-ce qui t'est arrivé, samedi dernier? On avait rendez-vous à sept heures ici. On devait aller à la soirée chez Henri. Tu as oublié?

PAUL: Non, non, Éric, je voulais venir. Mais dans le bus, j'ai rencontré Julien. Il m'a dit qu'il y avait un film génial au cinéma. Alors, nous y sommes allés. Tu sais, en général, je n'aime pas beaucoup les soirées chez Henri. La plupart de ses copains sont très snobs.

ÉRIC: Écoute, cette fois-ci, c'était super. On s'est bien amusés. J'ai fait la connaissance d'une fille très sympa. Tout le monde a beaucoup dansé. La soirée s'est terminée à minuit. Vraiment, c'est dommage que tu ne sois pas venu!

PAUL: Oui, je regrette aussi. Le film que nous avons vu avec Julien n'était pas intéressant et je me suis endormi au cinéma! Tu vois, je ne me suis pas amusé, moi! . . . Mais pourquoi est-ce que tu regardes toujours ta montre?

ÉRIC: Ma nouvelle copine doit me retrouver ici à cinq heures. Tu veux la rencontrer? Elle va bientôt arriver.

PAUL: Avec plaisir!

Écoutez de nouveau la conversation.

Maintenant, répondez oralement aux questions suivantes. Vous allez entendre chaque question deux fois.

1. À quelle heure est-ce que Paul devait retrouver Éric samedi?# Il devait le retrouver à sept heures.

2. Où est-ce qu'ils devaient aller? # Ils devaient aller à une soirée chez Henri.

3. Où est-ce que Paul a rencontré Julien? # Il l'a rencontré dans le bus.

4. Où est-ce que Paul et Julien sont allés? # Ils sont allés au cinéma.

5. Est-ce qu'Éric s'est embêté chez Henri? # Non, il s'est bien amusé.

6. Est-ce qu'il a fait la connaissance de quelqu'un? # Oui, il a fait la connaissance d'une fille très sympa.

7. Qu'est-ce que tout le monde a fait pendant la soirée chez Henri? # Tout le monde a beaucoup dansé.

8. Qu'est-ce que Paul a fait au cinéma? # Il s'est endormi.

9. Pourquoi est-ce qu'il s'est endormi? # Parce que le film n'était pas intéressant.

10. Pourquoi est-ce qu'Éric regarde toujours sa montre? # Parce que sa nouvelle copine doit le retrouver à cinq heures.

CD 8, Track 4

Activité 4. Instructions

Vous allez entendre une conversation entre Robert et Jacqueline Lambert. Vous allez écouter cette conversation deux fois. Écoutez bien et notez les activités de chacun pour le weekend dans votre cahier.

Robert et Jacqueline Lambert discutent de ce qu'ils vont faire le week-end prochain.

ROBERT: Dis donc, Jacqueline, nous allons être très occupés, ce week-end. Il vaut mieux tout noter dans notre agenda.

JACQUELINE: Oui, tu as raison, Robert. Moi, je ne suis pas libre samedi matin. Je vais voir une exposition avec Simone. Nous nous retrouvons au musée à dix heures.

ROBERT: Moi, je n'ai rien de spécial samedi matin, mais je vais déjeuner au restaurant. Hier, j'ai rencontré Jacques Durand, tu sais, mon vieux copain d'université. Il m'a proposé d'aller déjeuner avec lui samedi. Nous avons rendez-vous à midi et demi au restaurant «Le Gourmet». Tu peux venir, si tu veux.

JACQUELINE: Je te remercie, mais je n'aurai pas le temps. Après le musée, je pense que nous irons prendre un pot avec Simone. Ensuite, je vais chez le coiffeur. J'ai un rendez-vous à deux heures.

ROBERT: Tu vas chez le coiffeur samedi?

JACQUELINE: Mais oui, parce que nous sortons le soir. Tu as oublié? Nous allons voir un ballet avec ces gens charmants que nous avons rencontrés en Espagne. Tu sais, les Martinet.

ROBERT: Tu as raison! Je n'y pensais plus! On les retrouve à l'opéra?

JACQUELINE: Non, je leur ai donné rendez-vous ici vers sept heures. Nous dînerons rapidement et nous irons ensemble à l'opéra.

ROBERT: Ils viennent à sept heures? Alors, je n'aurai pas le temps d'aller au golf samedi après-midi. J'irai dimanche matin, vers neuf heures, je pense. Tu veux venir avec moi?

JACQUELINE: Je ne pense pas! La journée de samedi va être fatigante. Je voudrais me reposer dimanche matin. Si tu veux, on se retrouve à la cafétéria du golf pour le déjeuner. Vers midi, d'accord?

ROBERT: Entendu. Et qu'est-ce que tu veux faire l'après-midi?

JACQUELINE: Rien. S'il fait beau, je jouerai un peu au golf avec toi, ou bien je prendrai un bain de soleil. Nous devons être à 6 heures à l'aéroport pour aller chercher les enfants, n'oublie pas!

ROBERT: Ça, je ne l'ai pas oublié. Je l'ai noté depuis longtemps dans mon agenda. Je suis si content de les retrouver!

Écoutez de nouveau la conversation.

Langue et communication

CD 8, Track 5

Pratique orale 1, p. 308

Joël aimerait bien changer certaines choses dans sa vie. Écoutez ce qu'il aimerait faire ou avoir. Ensuite, jouez le rôle de Joël et transformez chaque phrase en commençant votre réponse par **Ah, si . . .** Utilisez l'imparfait dans vos phrases. D'abord, écoutez le modèle.

Modèle: Joël aimerait avoir plus d'argent.
Ah, si j'avais plus d'argent!

1. Joël aimerait que ses parents lui achètent une guitare. # Ah, si mes parents m'achetaient une guitare!
2. Joël aimerait pouvoir voyager. # Ah, si je pouvais voyager!
3. Joël aimerait que son frère soit plus patient avec lui. # Ah, si mon frère était plus patient avec moi!
4. Joël aimerait être le meilleur élève de la classe. # Ah, si j'étais le meilleur élève de la classe!
5. Joël aimerait que ses parents aient une grande maison. # Ah, si mes parents avaient une grande maison!
6. Joël aimerait que ses parents et lui partent en Espagne pour les vacances. # Ah, si nous partions en Espagne pour les vacances!

7. Joël aimerait être plus musclé. # Ah, si j'étais plus musclé!

8. Joël aimerait avoir une moto. # Ah, si j'avais une moto!

9. Joël aimerait que Lucie l'invite à sa boum. # Ah, si Lucie m'invitait à sa boum!

10. Joël aimerait être en vacances. # Ah, si j'étais en vacances!

CD 8, Track 6

Pratique orale 2

Vous allez entendre certaines personnes vous dire ce qu'elles ou d'autres personnes ont fait cet été. Demandez-leur si elles avaient fait les mêmes choses l'été d'avant. D'abord, écoutez le modèle.

Modèle: L'été dernier, je suis resté chez moi. Et l'été d'avant, tu étais resté chez toi aussi?

1. L'été dernier, Paul a fait de la plongée sous-marine. # Et l'été d'avant, il avait fait de la plongée sous-marine aussi?

2. L'été dernier, nous avons voyagé aux États-Unis. # Et l'été d'avant, vous aviez voyagé aux États-Unis aussi?

3. L'été dernier, j'ai séjourné dans un hôtel de luxe. # Et l'été d'avant, tu avais séjourné dans un hôtel de luxe aussi?

4. L'été dernier, Catherine s'est bien amusée. # Et l'été d'avant, elle s'était bien amusée aussi?

5. L'été dernier, Claire a été malade. # Et l'été d'avant, elle avait été malade aussi?

6. L'été dernier, les Duchamp ont visité l'Europe. # Et l'été d'avant, ils avaient visité l'Europe aussi?

7. L'été dernier, nous sommes partis en voiture. # Et l'été d'avant, vous étiez partis en voiture aussi?

8. L'été dernier, ma soeur a travaillé dans un magasin. # Et l'été d'avant, elle avait travaillé dans un magasin aussi?

Discovering
FRENCH
Nouveau!
R O U G E

PARTIE 1   Petit examen 1 (Version A)

A. Un rendez-vous. (20 points total: 5 points per item)

Marc et Juliette font des projets. Écrivez la lettre qui correspond à la réponse correcte.
(Attention: tous les mots ne sont pas utilisés.)

a. devant   b. faire la connaissance   c. libre

d. voir une exposition   e. se retrouver

MARC: Dis, Juliette, qu'est-ce que tu fais samedi?

JULIETTE: Je suis (1) _____.

MARC: Est-ce que tu veux (2) _____ avec moi?

JULIETTE: Oui, mais à quelle heure est-ce qu'on va (3) _____?

MARC: À une heure et demie (4) _____ le musée.

JULIETTE: Entendu.

B. La construction *si* + l'imparfait. (30 points total: 10 points per item)

Complétez les phrases avec la forme correcte de l'imparfait du verbe entre parenthèses.

5. (aller) Dis, Claude, si on _____ au concert?

6. (faire) Ah, si je _____ la connaissance de cette fille-là!

7. (prendre) Dis, Monique, si on _____ un pot?

C. Le plus-que-parfait. (50 points total: 10 points per item)

Complétez les phrases avec la forme correcte du plus-que-parfait du verbe entre parenthèses.

8. (partir) Quand Thomas est arrivé chez nous, Sophie _____.

9. (voyager) J'ai visité la France cette année. L'année d'avant, j' _____ en
   Espagne.

10. (se rencontrer) Quand Jacques est arrivé au café, Francine et moi, nous
    _____.

11. (sortir) Catherine a téléphoné à ses amies, mais elles _____.

12. (voir) Cet après-midi, vous êtes allées au cinéma, mais vous _____
    déjà _____ le film.

Discovering
FRENCH
Nouveau!
ROUGE

Nom _____

Classe _____ Date _____

Petit examen 1 (Version B)

A. Un rendez-vous. (20 points total: 5 points per item

Marc et Juliette font des projets. Écrivez la lettre qui correspond à la réponse correcte.
(Attention: tous les mots ne sont pas utilisés.)

   a. devant   b. faire la connaissance   c. libre
   d. voir une exposition   e. se retrouver

MARC: Dis, Juliette, qu'est-ce que tu fais samedi?

JULIETTE: Je suis (1) _____.

MARC: Est-ce que tu veux (2) _____ avec moi?

JULIETTE: Oui, mais à quelle heure est-ce qu'on va (3) _____?

MARC: À une heure et demie (4) _____ le musée.

JULIETTE: Entendu.

B. La construction *si* + l'imparfait. (30 points total: 10 points per item)

Écrivez la lettre qui correspond à la forme correcte de l'imparfait du verbe entre parenthèses.

  5. (aller) Dis, Claude, si on _____ au concert?
     a. allait   b. allaient

  6. (faire) Ah, si je _____ la connaissance de cette fille-là!
     a. faisais   b. faisait

  7. (prendre) Dis, Monique, si on _____ un pot?
     a. prenaient   b. prenait

C. Le plus-que-parfait. (50 points total: 10 points per item)

Écrivez la lettre qui correspond à la forme correcte du plus-que-parfait du verbe entre
parenthèses.

  8. (partir) Quand Thomas est arrivé chez nous, Sophie _____.
     a. était partie   b. soit partie

  9. (voyager) J'ai visité la France cette année. L'année d'avant, j' _____
    en Espagne.
     a. avais voyagé   b. avait voyagé.

10. (se rencontrer) Quand Jacques est arrivé au café, Francine et moi, nous

_____.

   a. nous sommes rencontré(e)s   b. nous étions rencontré(e)s

11. (sortir) Catherine a téléphoné à ses amies, mais elles _____.

   a. soient sorties   b. étaient sorties

12. (voir) Cet après-midi, vous êtes allées au cinéma, mais vous _____

   déjà _____ le film.

   a. auriez vu   b. aviez vu

PARTIE 2

WRITING ACTIVITIES

A/B **1. En ville** Et si vous vous promeniez en ville avec vos amis? Dites ce que vous feriez si vous alliez aux endroits représentés dans l'illustration. (Attention: utilisez des verbes différents dans chaque réponse.) Soyez logique! (sample answers)

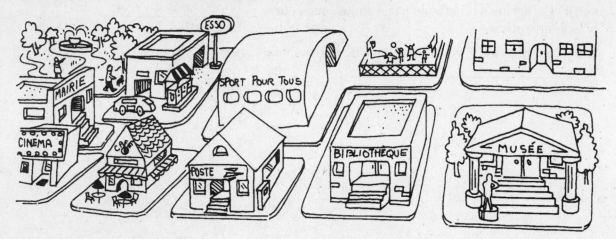

▶ (Caroline et moi)
Si nous allions au musée, nous verrions une exposition.

1. (toi)
Si tu allais à la bibliothèque, tu emprunterais des livres.

2. (Colette et Denise)
Si elles allaient au centre sportif, elles joueraient au basket.

3. (moi)
Si j'allais à la poste, j'enverrais des lettres.

4. (Sergio)
S'il allait à la station-service, il achèterait de l'essence.

5. (toi et moi)
Si nous allions au café, nous prendrions un pot.

6. (Michel et toi)
Si vous alliez au parc, vous promèneriez le chien.

7. (toi)
Si tu allais à la mairie, tu rencontrerais le maire.

8. (Éric et Serge)
S'ils allaient au cinéma, ils regarderaient un film.

B 2. À Paris Imaginez que votre famille et vous habitez à Paris maintenant. Dites si oui ou non les personnes mentionnées feraient les choses suggérées en fonction des conditions données. Soyez logique! *(sample answers)*

▶ Vous habitez dans un studio. Voulez-vous un appartement plus spacieux?

Si nous habitions dans un studio, nous voudrions un appartement plus spacieux.

(Si nous habitions dans un studio, nous ne voudrions pas d'appartement plus spacieux).

1. Votre père travaille dans le centre-ville. Prend-il le métro chaque matin?

S'il travaillait dans le centre-ville, il prendrait le métro chaque matin.

2. Vous habitez dans un quartier bruyant. Êtes-vous stressé(e)?

Si j'habitais dans un quartier bruyant, je serais stressé(e).

3. Votre soeur est étudiante. Va-t-elle souvent à la Bibliothèque nationale?

Si elle était étudiante, elle irait souvent à la Bibliothèque nationale.

4. Votre soeur et vous, souhaitez être acteurs. Prenez-vous des cours au Conservatoire des Arts et Métiers?

Si nous souhaitions être acteurs, nous prendrions des cours au Conservatoire des Art

et Métiers.

5. Vos parents et vous, vous habitez dans un immeuble. Avez-vous envie de vivre *(to live)* dans une tour?

Si nous habitions dans un immeuble, nous n'aurions pas envie de vivre dans une tour.

6. Le centre commercial des Halles est tout près de chez vous. Votre soeur y va-t-elle souvent?

Si le centre commercial des Halles était tout près de chez nous, ma soeur y irait souvent.

7. Vous détestez le tennis. Allez-vous voir les matchs au stade Roland-Garros?

Si je détestais le tennis, je n'irais pas voir les matchs au stade Roland-Garros.

8. Votre mère adore les jardins publics. Se promène-t-elle régulièrement au jardin du Luxembourg?

Si elle adorait les jardins publics, elle se promènerait régulièrement au jardin du Luxembourg.

9. Vos amis habitent loin de chez vous. Viennent-ils chez vous à pied?

S'ils habitaient loin de chez moi, ils ne viendraient pas chez moi à pied.

10. Vos amis et vous, vous n'avez pas beaucoup d'argent. Prenez-vous un taxi pour aller au centre-ville?

Si nous n'avions pas beaucoup d'argent, nous ne prendrions pas de taxi pour aller au

centre-ville.

C 3. Une interview spéciale Vous avez obtenu l'autorisation d'interviewer le président des États-Unis pour le journal de votre école. Vous avez préparé une liste de questions, mais vous devriez les poser poliment au président. Formulez vos questions en utilisant les verbes **devoir, pouvoir, vouloir, aimer** et **souhaiter.** Soyez logique! (sample answers)

INTERVIEW AVEC LE PRÉSIDENT

- parler de votre programme d'action sociale

- décrire une journée typique à la Maison-Blanche

- être président d'un autre pays

- expliquer les raisons du chômage (unemployment)

- faire un autre métier

- participer à toutes les sessions du congrès

- préciser votre plan pour aider les jeunes

- raconter une anecdote politique

- rencontrer le président russe

▶ Voudriez-vous parler de votre programme d'action sociale?

1. Pourriez-vous décrire une journée typique à la Maison-Blanche?

2. Souhaiteriez-vous être président d'un autre pays?

3. Pourriez-vous expliquer les raisons du chômage?

4. Aimeriez-vous faire un autre métier?

5. Devriez-vous participer à toutes les sessions du congrès?

6. Voudriez-vous préciser votre plan pour aider les jeunes?

7. Aimeriez-vous raconter une anecdote politique?

8. Devriez-vous rencontrer le président russe?

Nom _____ Date _____

Discovering
FRENCH
Nouveau!
ROUGE

Unité 8 Partie 2 Workbook TE

C 4. Pour les jeunes La mairie de votre ville vient de créer une association pour les jeunes. Vous allez voir le maire car vous aimeriez y travailler. Pour savoir si vous êtes qualifié(e), le maire vous demande comment vous réagiriez dans différentes situations. Donnez des réponses personnelles en faisant attention au temps des verbes. Soyez logique! (sample answers)

▶ Les personnes âgées se plaignent du bruit que font les jeunes au centre sportif. Que dites-vous?

Je dis que les jeunes feront attention maintenant.

▶ Les personnes âgées se sont plaintes du bruit qu'ont fait les jeunes au centre sportif. Qu'avez-vous dit?

J'ai dit que je demanderais aux jeunes d'être moins bruyants.

1. Le club de photographie a besoin de matériel. Que promettez-vous?

Je promets qu'il recevra du matériel.

2. Les lycéens ont voulu organiser un voyage, mais ils n'avaient pas assez d'argent. Qu'avez-vous déclaré?

J'ai déclaré que je leur prêterais de l'argent.

3. Les agents de police ont demandé des volontaires pour donner des conseils de sécurité. Qu'avez-vous annoncé?

J'ai annoncé que je demanderais aux jeunes d'être volontaires.

4. Un journaliste vous demande de décrire un de vos projets. Qu'écrivez-vous?

J'écris que j'organiserai des activités sportives pour les jeunes.

5. Les commerçants (shopkeepers) de la ville aimeraient que les jeunes fassent leurs achats chez eux. Que déclarez-vous?

Je déclare que les jeunes iront dans leurs commerces.

6. Les jeunes voudraient avoir un centre sportif. Que prédisez-vous?

Je prédis qu'ils en auront bientôt.

7. Des branches des arbres du jardin public ont été cassées. Qu'avez-vous affirmé?

J'ai affirmé que nous ferions attention aux arbres.

8. Plusieurs lycéens ont demandé au maire de fonder un club de football. Qu'avez-vous dit?

J'ai dit que je parlerais au maire.

9. Les agents de police disent qu'en général les jeunes conduisent trop vite. Que promettez-vous?

Je promets qu'ils feront plus attention.

10. Les jeunes ont proposé d'améliorer (improve) la ville. Qu'avez-vous déclaré?

J'ai déclaré que le maire leur donnerait du travail.

LISTENING/SPEAKING ACTIVITIES

Le français pratique: Comment expliquer où on habite

1. Compréhension orale Vous allez entendre la lettre que Stéphanie a écrite à sa correspondante américaine. Ensuite, vous allez écouter une série de phrases concernant cette lettre. D'abord, écoutez bien le texte de la lettre.

. . .

Écoutez de nouveau le texte de la lettre.

. . .

Maintenant, écoutez bien chaque phrase et marquez dans votre cahier si elle est vraie ou fausse. Vous allez entendre chaque phrase deux fois.

	vrai	faux			vrai	faux
1.	☑	☐		6.	☑	☐
2.	☐	☑		7.	☐	☑
3.	☐	☑		8.	☐	☑
4.	☑	☐		9.	☑	☐
5.	☑	☐		10.	☑	☐

2. Réponses logiques Vous allez entendre une série de questions. Pour chaque question, la réponse est incomplète. Dans votre cahier, marquez d'un cercle le mot ou l'expression qui complète la réponse le plus logiquement. D'abord, écoutez le modèle.

▶ Où est-ce que tu habites?
   J'habite . . .

a. le centre de loisirs	**(b.) dans la rue Victor Hugo**	**c. en taxi**
1. a. au musée	b. à pied	(c.) dans la banlieue
2. (a.) tout près	b. en bus	c. à cinq kilomètres
3. a. dans la banlieue	(b.) dans un immeuble	c. dans le quartier
4. a. à la bibliothèque	b. à pied	(c.) au centre-ville
5. (a.) il faut prendre le bus	b. à cent mètres	c. tout près
6. a. dans une tour	(b.) dans un quartier calme	c. dans un appartement
7. a. loin d'ici	b. dans une maison individuelle	(c.) à dix minutes à pied
8. (a.) à la station-service	b. chez le coiffeur	c. au centre sportif
9. a. au parc	b. à la poste	(c.) au centre commercial
10. a. jardins publics	b. bus	(c.) tours

3. Questions Vous allez entendre une série de questions. Regardez le plan du quartier dans votre cahier pour répondre à ces questions. D'abord, écoutez le modèle.

▶ Où se trouve la mairie, s'il vous plaît?
À l'angle de la rue Albert Camus et de la rue de la Paix.

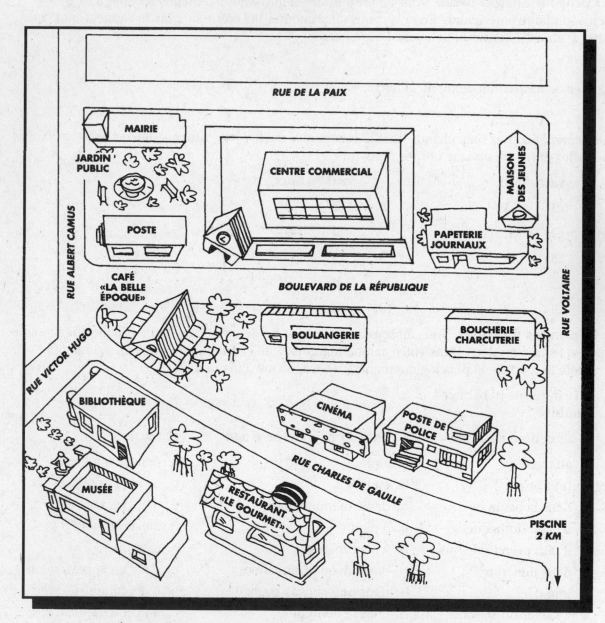

1. Il y a un cinéma dans la rue Charles de Gaulle.
2. Il y a une bibliothèque.
3. Non, elle est loin du musée.
4. Non, vous pouvez y aller à pied.
5. Oui, il y a une boulangerie en face du centre commercial.
6. Non, elle est à deux kilomètres.
7. Elle se trouve dans la rue Voltaire.
8. Oui, il y a un jardin public dans la rue Albert Camus.
9. Oui, il y a un restaurant dans la rue Charles de Gaulle, en face du cinéma.
10. Il faut aller au poste de police, dans la rue Charles de Gaulle.

4. Minidialogues

Minidialogue 1 Vous allez entendre deux dialogues. Après chaque dialogue, vous allez écouter une série de questions. Chaque dialogue et chaque question vont être répétés. D'abord, écoutez le premier dialogue.

. . .

Écoutez de nouveau le dialogue.

. . .

Maintenant, écoutez bien chaque question et marquez d'un cercle dans votre cahier la réponse que vous trouvez la plus logique.

1. a. À la campagne.
   b. En ville.
   c. En bus.
2. **a. À la poste et chez le teinturier.**
   b. Au poste de police.
   c. Au centre commercial.
3. a. Au centre de loisirs.
   b. Au centre sportif.
   c. Au centre commercial.
4. a. À pied.
   b. En bus.
   c. À midi.
5. a. Au centre commercial.
   b. À la poste.
   c. Devant la pizzéria.
6. **a. Près de la poste.**
   b. Dans le centre commercial.
   c. À pied.

Minidialogue 2 Maintenant, écoutez le second dialogue.

. . .

Écoutez de nouveau le dialogue.

. . .

Maintenant, écoutez bien chaque question et marquez d'un cercle dans votre cahier la réponse que vous trouvez la plus logique.

1. a. Dans une maison individuelle.
   b. Dans la banlieue.
   c. Dans un appartement.
2. **a. Dans une maison individuelle.**
   b. Dans une tour.
   c. Dans un immeuble.
3. a. Oui, à dix kilomètres.
   b. Non, à dix minutes à pied.
   c. Non, mais il doit prendre le bus.
4. a. Il y a beaucoup de bruit.
   b. Il y a beaucoup de commerces.
   c. Il y a beaucoup de bus.
5. **a. Il y a trop de bruit.**
   b. Il y a trop d'enfants.
   c. Il n'y a pas de bus.
6. a. À pied.
   b. En métro.
   c. En bus.

Unité 8 Partie 2
Workbook TE

5. Situation Vous allez participer à une conversation en répondant à certaines questions. D'abord, écoutez la conversation incomplète jusqu'à la fin. Ne répondez pas aux questions. Écoutez.

. . .

Écoutez de nouveau la conversation. Cette fois, jouez le rôle de la réceptionniste de l'hôtel Bonrepos et répondez aux questions du touriste. Pour répondre aux questions, regardez le plan de la ville dans votre cahier. Répondez après le signal sonore.

Please see the Answer Key on page 162.

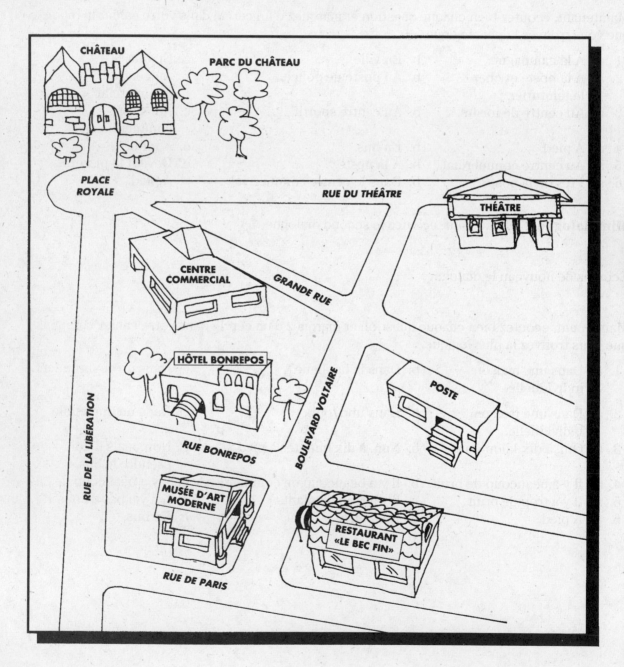

Langue et communication

Pratique orale 1 Un ami va vous demander ce que vous feriez dans certaines situations. Répondez à ses questions en utilisant les informations dans votre cahier. D'abord, écoutez le modèle.

▶ visiter la Californie

Si tu allais aux États-Unis, quelle région voudrais-tu visiter?
Si j'allais aux États-Unis, je voudrais visiter la Californie.

1. faire de la planche à voile toute la journée   Please see the Answer Key on page 162.
2. m'acheter un bateau
3. aller en Chine
4. visiter le Louvre
5. offrir des cadeaux à ma famille et à mes amis
6. en parler à mes parents
7. ne pas être fâché
8. choisir un ordinateur
9. venir avec plaisir
10. te téléphoner souvent

Pratique orale 2 Votre ami Olivier n'est pas très poli. Écoutez bien ce qu'il dit et transformez chacune de ses phrases en utilisant le conditionnel pour les rendre plus polies. D'abord, écoutez le modèle.

▶ Je veux un café.
Je voudrais un café.

1. Est-ce que tu pourrais me prêter ton stylo?
2. Auriez-vous l'heure, monsieur?
3. Pourriez-vous me dire où se trouve le théâtre?
4. Nous devrions partir.
5. Tu voudrais bien m'aider?
6. Sauriez-vous où il y a un café près d'ici?
7. Est-ce que nous pourrions utiliser le téléphone?
8. Tu ne devrais pas mettre cette veste.
9. Je voudrais m'asseoir.
10. Tu n'aurais pas trois euros à me prêter?

Nom _____ Date _____

PARTIE 2   Le français pratique

A

Activité 1 Dans ma ville   Identifiez les lieux d'après les images.

1. _la bibliothèque_

3. _le jardin public_

5. _la caserne des pompiers_

2. _le musée_

4. _la station-service_

6. _le poste de police_

Activité 2 Les bâtiments   Complétez les phrases d'après les images.

1. Jean habite _(dans) une maison individuelle_ .

2. Fanny habite _(dans) un immeuble_ .

3. Son père travaille dans _(dans) une tour_ .

4. Les Dupont ont peu d'argent. Ils habitent dans _un HLM_

Activité 3 Où?   Pour chaque image, écrivez le nom de deux endroits qui correspondent. Soyez un peu créatifs!

1. _une boutique_   _un centre commercial_

2. _un centre sportif_   _un centre de loisirs_

3. _la gendarmerie_   _la route_

4. _le centre-ville_   _la banlieue_

Nom _____ Date _____

Discovering
FRENCH
Nouveau!
R O U G E

B

Activité 1 Dans ma ville Identifiez les lieux d'après les images.

1. la poste

3. un centre sportif

5. un centre de loisirs

2. un commerce

4. une boutique

6. un centre commercial

Activité 2 Les bâtiments Mettez les lieux en ordre, du plus grand au plus petit (**1** à **6**). Ensuite, répondez à la question.

4 _____ a. un immeuble   2 _____ d. le quartier

3 _____ b. une tour   1 _____ e. la banlieue

6 _____ c. un appartement   5 _____ f. une maison individuelle

Et vous, où est-ce que vous habitez? (Sample answer.)

J'habite un appartement dans un quartier résidentiel.

Activité 3 Tout le contraire Répondez en utilisant un contraire.

1. — Tu habites un appartement?   —Non, j'habite une maison individuelle.

2. — C'est loin d'ici?   —Non, c'est (tout) près d'ici.

3. — C'est dans le centre-ville?   —Non, c'est dans la banlieue.

4. — On y va en voiture, ou en bus? —On y va à pied.

URB
p. 42

136

Unité 8, Partie 2
Activités pour tous

Discovering French, Nouveau! Rouge

Nom _____ Date _____

Discovering
FRENCH
Nouveau!
R O U G E

Unité 8 Partie 2   Activités pour tous

C

Activité 1 Charades Écrivez le nom de chaque lieu décrit.

1. C'est là où je vais faire le plein. *la station-service*
2. C'est là où les gens vont se marier. *la mairie*
3. C'est là où on va jouer au ping-pong. *le centre de loisirs*
4. C'est là où reviennent les gendarmes. *la gendarmerie*
5. C'est de là que partent les pompiers. *la caserne des pompiers*

Activité 2 Les bâtiments Nommez un type de bâtiment différent en réponse à chaque question.

1. Si vous aviez peu d'argent, où habiteriez-vous?
   J'habiterais un HLM.

2. Si vous aimiez les appartements, où habiteriez-vous?
   J'habiterais un immeuble.

3. Si vous aimiez habiter sans voisins à proximité, où habiteriez-vous?
   J'habiterais une maison individuelle.

4. Si vous travailliez pour une grosse société à New York, où travailleriez-vous?
   Je travaillerais dans une tour.

Activité 3 Un mail Complétez le mail de Laurence.

Salut Mimi,

Quand tu arriveras par , je t'attendrai à *la gare* . Je serai

en voiture . Si ça ne te déranges pas, nous irons faire deux-trois

courses avant d'aller chez moi. Nous irons à *la station-service* faire

le plein . Puis, nous irons acheter *du pain* à

la boulangerie . Nous habitons une *maison individuelle* à 6km du

centre - ville *banlieue* , dans la *banlieue* .

À vendredi!
Lolo

URB
p. 43

Discovering French, Nouveau! Rouge

Unité 8, Partie 2
Activités pour tous

137

Nom _____ Date _____

Discovering
FRENCH
Nouveau!
R O U G E

Langue et communication

A

Activité 1 Qu'est-ce que vous feriez, à ma place? Faites des phrases complètes, à l'aide des indices donnés.

1. _je boirais beaucoup d'eau_

2. _je promènerais mon chien_

3. _nous ferions du jogging_

4. _nous nagerions_

5. _je ferais les courses_

6. _nous jouerions au foot_

Activité 2 Quelques possibilités Faites correspondre le début et la fin des phrases.

_e_ _____ 1. Si vous venez chez moi,

_d_ _____ 2. Si vous veniez chez moi,

_a_ _____ 3. Si nous allons au marché,

_f_ _____ 4. Si nous allions au marché,

_c_ _____ 5. Si tu nous faisais un gâteau,

_b_ _____ 6. Si tu nous fais un gâteau,

a. nous prendrons des fleurs.

b. nous serons contents.

c. nous serions contents.

d. nous écouterions des CD.

e. nous écouterons des CD.

f. nous achèterions du fromage.

Activité 3 Qu'est-ce qu'ils vont faire pour la fête? Complétez les phrases à l'aide des images et en utilisant le conditionnel.

1. J'ai dit que je .
   ferais la cuisine

2. Il a dit qu'il .
   ferait des achats

3. Elle a dit qu'elle .
   appellerait un taxi

4. Mes parents ont dit qu'ils 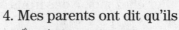 .
   dîneraient au restaurant

5. Béa a dit qu'elle .
   jouerait de la guitare

6. Ils ont dit qu'ils .
   danseraient

URB
p. 44

138

Unité 8, Partie 2
Activités pour tous

Discovering French, Nouveau! Rouge

Discovering FRENCH Nouveau! ROUGE

B

Activité 1 Qu'est-ce qu'on ferait, si c'était les vacances?

1. M. Richard
M. Richard taillerait ses arbustes.

2. les Duhammel
Les Duhammel partiraient en vacances.

3. Eux
Ils iraient à la campagne.

4. Nous
Nous irions à la plage.

5. Serge et moi
Serge et moi, nous jouerions au volleyball.

6. Bertrand
Bertrand, lui, nagerait.

Activité 2 Un samedi ordinaire Complétez les phrases.

1. Si tu vas à la bibliothèque, tu _étudieras_ plus tranquillement.

2. Si nous _arrosions_ le jardin, nos parents seraient contents.

3. Si Anémone passait l'aspirateur, nous _rangerions_ la vaisselle.

4. Si j'_appelais_ des amis, nous irions peut-être au ciné plus tard.

5. Si nous _prenons_ l'_____, on y sera en une demi-heure.

Activité 3 Qu'est-ce qu'ils ont dit? Complétez les phrases, à l'aide des indices.

1. Yvan est allé dans une _____. Il a dit qu'il _achèterait des CD_.

2. Sabine est partie au _____. Elle a dit qu'elle _prendrait_ un pot.

3. Valérie et Ariana sont allées à la _____. Elles ont dit qu'elles _liraient_.

4. Serge et Mathilde sont allés au _____. Ils ont dit qu'ils _feraient une promenade_.

C

Activité 1 Qu'est-ce qu'on ne ferait pas, si c'était les vacances? Écrivez ce que chacun *ne* ferait *pas*, d'après les images.

1.  Moi
   Je ne ferais pas la cuisine.

2. Lucien
   Lucien ne ferait pas la vaisselle.

3. Yvette et Ghislaine
   Yvette et Ghislaine n'étudieraient pas.

4.  Mme Legrand
   Mme Legrand n'appellerait pas de taxi.

5. Nous
   Nous n'irions pas à l'école.

6. Mes amis
   Mes amis ne resteraient pas à la maison.

Activité 2 Réalité ou hypothèse? Complétez les phrases en décidant s'il faut utiliser le conditionnel, d'après le tableau.

	Lundi	Mardi	Mercredi	Jeudi	Vendredi
Réalité:					

1. S'il faisait _____ , nous jouerions _____ au

2. Si tu m'appelles _____ , nous irons _____ à la .

3. Si nous allons _____ au , nous achèterons _____ des .

4. Si nous jouions _____ aux , je gagnerais _____ !

5. Si nous allions _____ au , nous dînerions / irions _____ au

Activité 3 Qu'est-ce qu'ils ont dit? Complétez les phrases, à l'aide des images. Lisez bien tous les indices.

1. Arthur a dit qu'il réparerait sa bicyclette _____ .

2. Gisèle a dit qu'elle irait au café _____ .

3. Mes parents ont dit qu'ils feraient les courses _____

4. Tu as dit que tu lui achèterais des fleurs _____ , n'est-ce pas? Tu les lui as achetées?

5. Nous avions dit que nous verrions un film _____ . Alors, on en voit un?

PARTIE 2 page 310

Objectives

Communication Functions and Contexts	To explain where one lives and how to get there
	To describe one's neighborhood
Linguistic Goals	To use the conditional to talk about what one would do in certain circumstances
	To use the conditional to formulate polite requests
Reading and Cultural Objectives	To learn what a typical French city looks like
	To read for information and enjoyment

Motivation and Focus

❏ *INFO Magazine:* Show **Overhead Transparencies** 6, 48, and 48(o) and read about and discuss the various sections of French cities in *La géographie des villes françaises*, pages 310–311. Encourage students to comment on the types of buildings pictured and guess the types of activities that predominate in each of the city sections. Do the TEACHING STRATEGY on TE page 311 and *Et vous?* on page 311. Share the information in the Anecdote, NOTES CULTURELLES, and NOTES LINGUISTIQUES in the TE margins.

Presentation and Explanation

❏ *Le français pratique (Comment expliquer où on habite):* Show **Overhead Transparencies** 48 and 49 as you model the expressions for describing locations and names of city places for students to repeat, pages 312–313. Guide students to talk about where they live. Do the housing interview suggestion in TEACHING STRATEGY, TE page 312.

❏ *Langue et communication (Révision: le conditionnel):* Review formation and use of the conditional to express what would happen, page 314. You may want to use **Video** 8, *Vidéo-Drame,* to help students review uses of the conditional.

❏ *Langue et communication (Le conditionnel dans des phrases avec **si**):* Explain the use of the conditional with ***si**-clauses, page 316. Model the examples for students to repeat. Do the TEACHING STRATEGY, TE page 316, to help students use the conditional with ***si*** and conditions.

❏ *Langue et communication (Le conditionnel: autres usages):* Introduce other uses of the conditional, page 318. Use the TEACHING STRATEGY in the side margin of TE page 318 to explain the use of ***pouvoir*** in the conditional for making polite requests. Explain about indirect speech using the NOTE LINGUISTIQUE, TE page 318. Model the examples and have students repeat.

Guided Practice and Checking Understanding

❏ Use the TEACHING STRATEGIES at the bottom of TE pages 318–319 to help students practice using the conditional with indirect speech and to write a group story containing examples of the different uses of the conditional.

❏ Have students do pages 153–157 of the **Workbook** as you play the **Audio**, CD 9, Tracks 1–7, or read from the **Audioscript**, pages 58–62.

❏ Review **Video** 8, *Vidéo-Drame,* or read from the **Videoscript**.

Independent Practice

❏ *Pair activities:* Model the activities on pages 312–319. Students can do activities 1–2 (pages 312–313) and 1–3, 7, and 9–11 (pages 314–319) in pairs. Have them check their work in the **Student Text Answer Key**, pp. 153–160. You may want to use the TEACHING STRATEGY and EXPANSION suggestions on TE pages 314–317 for activities 1, 2, and 8.

❏ *Homework:* Assign activities 4 (page 315) and 8 (page 317) for homework.

❏ *Group activities:* Students can practice activities 5 and 6 on page 316 in small groups.

❏ Do the **Teacher to Teacher** activity, pages 94–96.

❏ Have students do the activities in **Activités pour tous,** pages 135–140.

Monitoring and Adjusting

❏ Have students do the writing activities on pages 80–83 of the **Workbook.**

❏ As students complete the **Workbook** activities, monitor use of the conditional and city vocabulary. Refer to the boxes on pages 312–318 as needed.

Assessment

❏ Use the quiz for *INFO Magazine* in **Reading and Culture Tests and Quizzes.** Use the **Lesson Quiz** for *Partie 2* as appropriate.

Reteaching

❏ Use the *Reference* section of the textbook as needed for reteaching: *Appendix A* page R10 for numbers, and *Appendix C* page R19 for formation of the conditional.

Extension and Enrichment

❏ Play the game in TEACHING STRATEGY, TE page 313, to have students write definitions and guess vocabulary words.

❏ Introduce additional cultural material related to housing and city life. Use the NOTES CULTURELLES and TEACHING NOTE, TE pages 312–313, for French street names and HLMs. Read the *Flash d'information* on page 313 and share the NOTE CULTURELLE in the TE margin about the French gendarmes. Use the NOTE CULTURELLE, TE page 316, to describe attractions at *Le Parc de la Villette*. Explain information about the French phone system with the NOTE CULTURELLE, TE page 319.

Summary and Closure

❏ Show **Overhead Transparency** 49 and have students do the Goal 1 activity on page A106. As students talk about places on the map, guide others to summarize the communicative and linguistic goals demonstrated.

❏ You may want to use the oral conversations in activity 2, page 313, or the paragraph about vacations in activity 4, page 315, for students' Oral and Written Portfolios. Use the suggestions and forms in **Portfolio Assessment.**

PARTIE 2   page 310

Block schedule (2 days to complete)

Objectives

Communication Functions and Contexts
To explain where one lives and how to get there
To describe one's neighborhood

Linguistic Goals
To use the conditional to talk about what one would do in certain circumstances
To use the conditional to formulate polite requests

Reading and Cultural Objectives
To learn what a typical French city looks like
To read for information and enjoyment

Block Schedule

FunBreak Start the class by having a tape recorder ready and several strips of paper with situations on them. Hand out the situations one by one and give each student 2 minutes to prepare a speech. Example situations could include: *You are traveling to Europe for 2 weeks. What would you take?* Or *You have just found a wallet with a lot of money. What would you do?* Have them speak for 2 minutes. ■

Day 1

Motivation and Focus

❑ *INFO Magazine:* Show **Overhead Transparencies** 6, 48, and 48(o) and read about and discuss the various sections of French cities in *La géographie des villes françaises*, pages 310–311. Encourage students to comment on the types of buildings pictured and guess the types of activities that predominate in each of the city sections. Do the TEACHING STRATEGY on TE page 311 and *Et vous?* on page 311. Share the information in the Anecdote, NOTES CULTURELLES, and NOTES LINGUISTIQUES in the TE margins.

Presentation and Explanation

❑ *Le français pratique (Comment expliquer où on habite):* Show **Overhead Transparencies** 48 and 49 as you model the expressions for describing locations and names of city places for students to repeat, pages 312–313. Guide students to talk about where they live. Do the housing interview suggestion in TEACHING STRATEGY, TE page 312.

❑ *Langue et communication (Révision: le conditionnel):* Review formation and use of the conditional to express what would happen, page 314. You may want to use **Video** 8, *Vidéo-Drame,* to help students review uses of the conditional.

❑ *Langue et communication (Le conditionnel dans des phrases avec si):* Explain the use of the conditional with *si* clauses, page 316. Model the examples for students to repeat. Do the TEACHING STRATEGY, TE page 316, to help students use the conditional with *si* and conditions.

❑ *Langue et communication (Le conditionnel: autres usages):* Introduce other uses of the conditional, page 318. Use the TEACHING STRATEGY in the side margin of TE page 318 to explain the use of ***pouvoir*** in the conditional for making polite requests. Explain about indirect speech using the NOTE LINGUISTIQUE, TE page 318. Model the examples and have students repeat.

Guided Practice and Checking Understanding

❏ Use the TEACHING STRATEGIES at the bottom of TE pages 318–319 to help students practice using the conditional with indirect speech and to write a group story containing examples of the different uses of the conditional.

❏ Have students do pages 153–157 of the **Workbook** as you play the **Audio**, CD 9, Tracks 1–7, or read from the **Audioscript**, pages 47–50.

❏ Review **Video** 8, *Vidéo-Drame*, or read from the **Videoscript**.

Independent Practice

❏ *Pair activities:* Model the activities on pages 312–319. Students can do activities 1–2 (pages 312–313) and 1–3, 7, and 9–11 (pages 314–319) in pairs. Have them check their work in the **Student Text Answer Key**, pp. 153–160. You may want to use the TEACHING STRATEGY and EXPANSION suggestions on TE pages 314–317 for activities 1, 2, and 8.

❏ *Homework:* Assign activities 4 (page 315) and 8 (page 317) for homework.

❏ *Group activities:* Students can practice activities 5 and 6 on page 316 in small groups.

❏ Do the **Teacher to Teacher** activity, pages 94–96.

Day 2

Monitoring and Adjusting

❏ Have students do the writing activities on pages 80–83 of the **Workbook.**

❏ As students complete the **Workbook** activities, monitor use of the conditional and city vocabulary. Refer to the boxes on pages 312–318 as needed.

Reteaching (as required)

❏ Use the *Reference* section of the textbook as needed for reteaching: *Appendix A* page R10 for numbers, and *Appendix C* page R19 for formation of the conditional.

Extension and Enrichment (as desired)

❏ Play the game in TEACHING STRATEGY, TE page 313, to have students write definitions and guess vocabulary words.

❏ Introduce additional cultural material related to housing and city life. Use the Notes culturelles and TEACHING NOTE, TE pages 312–313, for French street names and HLMs. Read the *Flash d'information* on page 313 and share the NOTE CULTURELLE in the TE margin about the French gendarmes. Use the NOTE CULTURELLE, TE page 316, to describe attractions at *Le Parc de la Villette*. Explain information about the French phone system with the NOTE CULTURELLE, TE page 319.

❏ For expansion activities, direct students to www.classzone.com.

❏ Have students do the **Block Schedule Activity** at the top of page 49 of these lesson plans.

❏ Use **Block Scheduling Copymasters,** pages 129–136.

Summary and Closure

❑ Show **Overhead Transparency** 49 and have students do the Goal 1 activity on page A106. As students talk about places on the map, guide others to summarize the communicative and linguistic goals demonstrated.

❑ You may want to use the oral conversations in activity 2, page 313, or the paragraph about vacations in activity 4, page 315, for students' Oral and Written Portfolios. Use the suggestions and forms in **Portfolio Assessment.**

Assessment

❑ Use the quiz for *INFO Magazine* in **Reading and Culture Tests and Quizzes.** Use the **Lesson Quiz** for *Partie 2* as appropriate.

Discovering
FRENCH
Nouveau!

R O U G E

Nom _____

Classe _____ Date _____ _____

PARTIE 2   Le français pratique, pages 310–313

Materials Checklist
❑ **Student Text**
❑ **Audio** CD 9, Tracks 1–4
❑ **Video** 8, *Vidéo-Drame*
❑ **Workbook**

Steps to Follow
❑ Read *La géographie des villes françaises* in *INFO Magazine* in the text (pp. 310–311). What are the different neighborhoods in a typical French city? What are some of the characteristics of a French suburb? Of the **ville nouvelle**? Answer the questions in *Et vous?* on page 311.
❑ Study *Comment expliquer où on habite* in the text (pp. 312–313). Read the new words and expressions aloud.
❑ Review *Les nombres* in *Révision* in *Appendix A* (p. R10).
❑ Do Listening/Speaking Activities 1–4 in the **Workbook** (pp. 153–156). Use **Audio** CD 9, Tracks 1–4.
❑ Do Activity 1 in the text (p. 312). Write the dialogue in complete sentences. Read it aloud.
❑ Do Activity 2 in the text (p. 313). Select five situations and write both parts of each dialogue. Read the dialogues aloud.
❑ Watch **Video** 8, *Vidéo-Drame*. Pause and replay if necessary.

If You Don't Understand . . .
❑ Listen to the **CD** in a quiet place. Try to stay focused. If you get lost, stop the **CD**. Replay it and find your place.
❑ Watch the **Video** or **DVD** in a quiet place. Try to stay focused. If you get lost, stop the **Video** or **DVD**. Replay it and find your place.
❑ Read the activity directions carefully. Say them or write them in your own words.
❑ Read your answers aloud. Check spelling and accents.
❑ When you write a sentence, ask yourself, "What do I mean? What am I trying to say?"
❑ On a separate sheet of paper, write down the words that are new. Learn their meanings.
❑ Write down any questions so that you can ask your partner or your teacher later.

Self Check

Soulignez l'expression qui n'appartient pas au groupe. Suivez le modèle.

▶ un bus / le métro / <u>un café</u>

1. un centre sportif / des boutiques / des commerces
2. une bibliothèque / un musée / une station-service
3. une maison individuelle / une poste / un appartement
4. un poste de police / une bibliothèque / une gendarmerie
5. un musée / un centre sportif / un centre de loisirs
6. un parc / un immeuble / un jardin public

Answers

1. un centre sportif   2. une station-service   3. une poste   4. une bibliothèque   5. un musée
6. un immeuble

Nom _____

Classe _____ Date _____

Discovering
FRENCH
Nouveau!

R O U G E

Unité 8   Partie 2   Absent Student Copymasters

PARTIE 2   Langue et communication A, pages 314–315

Materials Checklist

❑ **Student Text**
❑ **Audio** CD 9, Track 7
❑ **Video** 8, *Vidéo-Drame*
❑ **Workbook**

Steps to Follow

❑ Study *Révision: le conditionnel* in the text (p. 314). How do you form the conditional? Review *Formation du conditionnel* in *Révision* in *Appendix A* (p. R 19).
❑ Do Listening/Speaking Activity *Pratique orale 2* in the **Workbook** (p. 157). Use **Audio** CD 9, Track 7.
❑ Do Activity 1 in the text (p. 314). Write each answer in a complete sentence.
❑ Do Activity 2 in the text (p. 315). Write complete sentences.
❑ Do Activity 3 in the text (p. 315). State what you would do in each situation in a complete sentence. Read the answers aloud.
❑ Do Activity 4 in the text (p. 315). Answer the questions and read your answers aloud.
❑ Do Writing Activity 1 in the **Workbook** (p. 80).
❑ Watch **Video** 8, *Vidéo-Drame*. Pause and replay if necessary.

If You Don't Understand . . .

❑ Listen to the **CD** in a quiet place. Try to stay focused. If you get lost, stop the **CD** and find your place.
❑ Watch the **Video** or **DVD** in a quiet place. Try to stay focused. If you get lost, stop the **Video** or **DVD**. Replay it and find your place.
❑ Read aloud the conditional form of verbs in the *Révision* section before you do the activities.
❑ Read the activity directions carefully. Say them or write them in your own words.
❑ When you write a sentence, ask yourself, "What do I mean? What am I trying to say?"
❑ On a separate sheet of paper, write down the words that are new. Learn their meanings.
❑ Write down any questions so that you can ask your partner or your teacher later.

Self Check

Mettez les verbes entre parenthèses au conditionnel. Attention! Faites les changements nécessaires. Suivez le modèle.

▶ Si j'avais assez d'argent, je (aller) en Australie.
Si j'avais assez d'argent, j'irais en Australie.

1. Est-ce que tu (vouloir) nous accompagner au cinéma?
2. Est-ce que nous (pouvoir) regarder les photos?
3. Que (faire)-vous si votre voiture tombait en panne?
4. (Venir)-elle à la boum, si elle pouvait?
5. (Savoir)-ils où se trouve la gare?

Answers

1. Est-ce que tu voudrais nous accompagner au cinéma?   2. Est-ce que nous pourrions regarder les photos?   3. Que feriez-vous si votre voiture tombait en panne?   4. Viendrait-elle à la boum, si elle pouvait?   5. Sauraient-ils où se trouve la gare?

Nom _____

Classe _____ Date _____

Discovering
FRENCH
Nouveau!

ROUGE

PARTIE 2 Langue et communication B, pages 316–317

Materials Checklist

❏ **Student Text**
❏ **Audio** CD 9, Track 6
❏ **Video** 8, *Vidéo-Drame*
❏ **Workbook**

Steps to Follow

❏ Study *Le conditionnel dans les phrases avec si* in the text (p. 316). Review *Formation du conditionnel* in *Révision* in *Appendix A* (p. R 19).
❏ Do Listening/Speaking Activity *Pratique orale 1* in the **Workbook** (p. 157). Use **Audio** CD 9, Track 6.
❏ Do Activity 5 in the text (p. 316). Read your answers aloud.
❏ Do Activity 6 in the text (p. 316). Write complete sentences.
❏ Do Activity 7 in the text (p. 317). State your three suggestions in complete sentences.
❏ Do Activity 8 in the text (p. 317). Answer the questions and read your answers aloud.
❏ Do Writing Activity 2 in the **Workbook** (p. 81).
❏ Watch **Video** 8, *Vidéo-Drame*. Pause and replay if necessary.

If You Don't Understand . . .

❏ Listen to the **CD** in a quiet place. Try to stay focused. If you get lost, stop the **CD** and find your place.
❏ Watch the **Video** or **DVD** in a quiet place. Try to stay focused. If you get lost, stop the **Video** or **DVD**. Replay it and find your place.
❏ Read aloud the conditional form of verbs in the *Révision* section before you do the activities.
❏ Read the activity directions carefully. Say them or write them in your own words.
❏ When you write a sentence, ask yourself, "What do I mean? What am I trying to say?"
❏ On a separate sheet of paper, write down the words that are new. Learn their meanings.
❏ Write down any questions so that you can ask your partner or your teacher later.

Self Check

Mettez les verbes entre parenthèses au conditionnel. Attention! Faites les changements nécessaires. Suivez le modèle.

▶ Si Thomas pouvait, il (aller) au Maroc.
   Si Thomas pouvait, il irait au Maroc.

1. Si je étais libre, je (venir) avec vous.
2. Si elle parlait russe, Isabelle (voyager) en Russie.
3. Si nous avions le temps, nous (partir) à la campagne.
4. Si vous veniez dîner avec nous, nous vous (offrir) de très bonnes choses à manger.
5. S'ils savait la réponse, ils nous le (dire).

Answers

1. Si j'étais libre, je viendrais avec vous. 2. Si elle parlait russe, Isabelle voyagerait en Russie. 3. Si nous avions le temps, nous partirions à la campagne. 4. Si vous veniez dîner avec nous, nous vous offririons de bonnes choses à manger. 5. S'ils savaient la réponse, ils nous le diraient.

Discovering
FRENCH
Nouveau!
R O U G E

PARTIE 2

Ask a family member to help you identify all the things found in your neighborhood.

- First, explain your assignment.
- Next, point out each of the possible places that might be found in your neighborhood. Model the correct pronunciation of each and give any necessary English equivalents.
- Ask the question, **Qu'est-ce qu'il y a dans le quartier?**
- Mark all the kinds of services found in your neighborhood.

Dans mon quartier, il y a . . .

_____ des boutiques

_____ des commerces

_____ un grand centre commercial

_____ une station-service

_____ un centre de loisirs

_____ une Maison des Jeunes

_____ une bibliothèque

_____ un musée

_____ un parc

_____ une poste

_____ un poste de police

_____ une caserne de pompiers

Nom _____

Classe _____ Date _____ _____

Discovering **FRENCH**
Nouveau!

ROUGE

Unité 8 Partie 2 Family Involvement

Interview a family member. If the family member lives in the city, find out what he or she would do if he or she lived in the country. If the family member lives in the country, find out what he or she would do if he or she lived in the city. Choose from among the choices listed below.

- First, explain your assignment.
- Next, point out the possible answers, modeling the correct pronunciation as you point to each one. Give any necessary English equivalents.
- Ask the question, **Que ferais-tu si tu habitais . . .**
- When you have an answer, complete the appropriate sentence at the bottom of the page.

à la campagne?

je prendrais des taxis

j'irais plus souvent à la pêche

j'aurais un grand jardin

je me promènerais tous les jours

je ferais du vélo

j'achèterais mes légumes et mes fruits au marché

en ville?

je prendrais des taxis

je visiterais les musées

je dînerais au restaurant

j'irais voir le ballet

je voyagerais en bus ou en métro

je ferais du skate-board

Si _____ habitait à la campagne, _____

_____ .

Si _____ habitait en ville, _____

_____ .

PARTIE 2

Le français pratique: Comment expliquer où on habite

CD 9, Track 1

Activité 1. Compréhension orale, p. 312

Vous allez entendre la lettre que Stéphanie a écrite à sa correspondante américaine. Ensuite, vous allez écouter une série de phrases concernant cette lettre. D'abord, écoutez bien le texte de la lettre.

Chère Lisa,

Je suis vraiment très heureuse que tu viennes chez nous cet été. Tu vas voir, nous allons faire des choses formidables ensemble! Je suis sûre que tu vas aimer Saint-Germain, parce que c'est une petite ville très animée et touristique. Tu sais que nous habitons dans un petit immeuble qui n'est pas très loin du centre-ville. En fait, on peut y aller à pied facilement. Mon quartier est très calme. Dans la rue où j'habite, il y a un joli parc avec un musée de la nature qui est très intéressant. Si tu aimes te promener, la forêt est à un quart d'heure à pied. Pour aller à la piscine, il vaut mieux prendre le bus. À côté de la piscine, il y a des courts de tennis où je vais souvent jouer avec des copains. Si tu préfères aller en ville et faire du shopping, il y a beaucoup de magasins ici. Tu pourras trouver des choses sympas à acheter pour offrir à tes amies. Moi, j'aime bien retrouver mes copines dans un café du centre-ville qui a une belle terrasse, tout près du château. L'été, nous y restons souvent pendant des heures à parler et à regarder les gens qui passent! . . . Tu vois, il y a beaucoup de choses à faire ici. Écris-moi bientôt pour me dire quand tu arrives. Tout sera prêt. Nous t'attendons avec impatience.

>Je t'embrasse.
>*Stéphanie*

Écoutez de nouveau le texte de la lettre.

Maintenant, écoutez bien chaque phrase et marquez dans votre cahier si elle est vraie ou fausse. Vous allez entendre chaque phrase deux fois.

1. Stéphanie a invité Lisa pour les vacances.
2. Stéphanie habite dans une grande ville qui s'appelle Saint-Germain.
3. Stéphanie doit prendre le bus pour aller au centre-ville.
4. Elle habite dans un quartier agréable.
5. La forêt n'est pas très loin de chez Stéphanie.
6. Il faut prendre le bus pour aller à la piscine.
7. Stéphanie va souvent à la piscine avec ses amis.
8. Dans le centre-ville, il y a un centre commercial.
9. À Saint-Germain, il y a un château.
10. En été, Stéphanie reste longtemps à la terrasse du café avec ses copines.

Maintenant, vérifiez vos réponses. You should have marked **vrai** for items 1, 4, 5, 6, 9, and 10. You should have marked **faux** for items 2, 3, 7, and 8.

CD 9, Track 2

Activité 2. Réponses logiques

Vous allez entendre une série de questions. Pour chaque question, la réponse est incomplète. Dans votre cahier, marquez d'un cercle le mot ou l'expression qui complète la réponse le plus logiquement. D'abord, écoutez le modèle.

Modèle: Où est-ce que tu habites?
J'habite . . .

La réponse logique est **b: dans la rue Victor Hugo.**

1. Tu habites dans le centre-ville?
Non, j'habite . . .
2. Le cinéma, c'est loin d'ici?
Non, c'est . . .

3. Est-ce que Camille habite dans une maison individuelle?
Non, elle habite . . .

4. Où est-ce que je peux trouver un magasin de chaussures?
Il faut aller . . .

5. La poste, c'est près d'ici?
Non, . . .

6. Est-ce qu'il y a beaucoup de voitures dans la rue où tu habites?
Non, j'habite . . .

7. Pour aller à la Maison des Jeunes, tu prends le bus?
Non, c'est . . .

8. Tu as un problème avec ta voiture?
Oui, je dois aller . . .

9. Tu as beaucoup de choses à acheter?
Oui, je vais aller . . .

10. À New-York, il y a beaucoup de maisons individuelles?
Non, il y a beaucoup de . . .

Maintenant, vérifiez vos réponses. You should have circled: 1-c, 2-a, 3-b, 4-c, 5-a, 6-b, 7-c, 8-a, 9-c, 10-c.

CD 9, Track 3

Activité 3. Questions

Vous allez entendre une série de questions. Regardez le plan du quartier dans votre cahier pour répondre à ces questions. D'abord, écoutez le modèle.

Modèle: Où se trouve la mairie, s'il vous plaît?
À l'angle de la rue Albert Camus et de la rue de la Paix.

1. Où est-ce qu'il y a un cinéma? # Il y a un cinéma dans la rue Charles de Gaulle.

2. Qu'est-ce qu'il y a à côté du musée? # Il y a une bibliothèque.

3. Est-ce que la Maison des Jeunes est près du musée? # Non, elle est loin du musée.

4. Pour aller de la mairie à la poste, est-ce que je dois prendre le bus? # Non, vous pouvez y aller à pied.

5. Est-ce qu'il y a une boulangerie près du centre commercial? # Oui, il y a une boulangerie en face du centre commercial.

6. Est-ce que la piscine est près du centre-ville? # Non, elle est à deux kilomètres.

7. Où se trouve la Maison des Jeunes? # Elle se trouve dans la rue Voltaire.

8. Est-ce qu'il y a un parc où je peux aller avec mes enfants? # Oui, il y a un jardin public dans la rue Albert Camus.

9. Est-ce qu'il y a un restaurant dans le quartier? # Oui, il y a un restaurant dans la rue Charles de Gaulle, en face du cinéma.

10. Où est-ce qu'il faut aller quand on a perdu son portefeuille? # Il faut aller au poste de police, dans la rue Charles de Gaulle.

CD 9, Track 4

Activité 4. Minidialogues

Vous allez entendre deux dialogues. Après chaque dialogue, vous allez écouter une série de questions. Chaque dialogue et chaque question vont être répétés. D'abord, écoutez le premier dialogue.

Madame Duchemin se prépare pour aller en ville.

MME DUCHEMIN: Tu viens avec moi en ville, Catherine?

CATHERINE: D'accord. Tu as beaucoup de courses à faire?

MME DUCHEMIN: Je dois aller à la poste et chez le teinturier.

CATHERINE: Ce n'est pas très amusant. Je préfère aller au centre commercial.

MME DUCHEMIN: Nous pouvons prendre le bus ensemble. Tu vas au centre commercial pendant que je fais mes courses, et on se retrouve après.

CATHERINE: Entendu! Où est-ce qu'on se donne rendez-vous?

MME DUCHEMIN: Il y a une pizzéria agréable près de la poste. C'est à dix minutes à pied du centre commercial. Je te retrouve devant la pizzéria à midi?

CATHERINE: D'accord. Et maintenant, dépêchons-nous, ou nous allons rater le bus!

Écoutez de nouveau le dialogue.

Discovering French, Nouveau! Rouge

Maintenant, écoutez bien chaque question et marquez d'un cercle dans votre cahier la réponse que vous trouvez la plus logique.

1. Où vont aller Catherine et sa mère?
2. Où doit aller Mme Duchemin?
3. Où est-ce que Catherine préfère aller?
4. Comment est-ce qu'elles vont aller en ville?
5. Où est-ce qu'elles vont se retrouver à midi?
6. Où se trouve la pizzéria?

Maintenant, vérifiez vos réponses. You should have circled: 1-b, 2-a, 3-c, 4-b, 5-c, and 6-a.

Maintenant, écoutez le second dialogue.

Ce matin, Monsieur Liber et Monsieur Dugat arrivent au bureau au même moment.

M. DUGAT: Ah, bonjour, Monsieur Liber. Alors, vous avez déménagé? Vous êtes content de votre nouvel appartement?

M. LIBER: Oh là là, ne m'en parlez pas! Avant, j'habitais dans une maison individuelle. Elle était petite, mais nous y étions bien! Bien sûr, j'étais loin du bureau . . . Maintenant, je suis à dix minutes à pied, mais nous n'aimons pas la vie en appartement.

M. DUGAT: Mais le quartier où vous habitez est agréable, non?

M. LIBER: C'est bien pour faire les courses, car il y a beaucoup de commerces. Mais le quartier est très bruyant. Et puis, les enfants doivent prendre le bus pour aller au lycée. Je ne sais pas si nous allons rester là très longtemps . . .

M. DUGAT: Ah, ce n'est pas facile de trouver l'endroit idéal où habiter!

Écoutez de nouveau le dialogue.

Maintenant, écoutez bien chaque question et marquez d'un cercle dans votre cahier la réponse que vous trouvez la plus logique.

1. Dans quel genre de résidence est-ce que M. Liber habite maintenant?
2. Et avant, dans quel genre de résidence est-ce qu'il habitait?
3. Est-ce qu'il habite loin de son travail?
4. Quel est l'avantage du quartier où il habite?
5. Qu'est-ce que M. Liber n'aime pas dans ce quartier?
6. Comment est-ce que ses enfants vont au lycée?

Maintenant, vérifiez vos réponses. You should have circled: 1-c, 2-a, 3-b, 4-b, 5-a, and 6-c.

CD 9, Track 5
Activité 5. Situation

Vous allez participer à une conversation en répondant à certaines questions. D'abord, écoutez la conversation incomplète jusqu'à la fin. Ne répondez pas aux questions. Écoutez.

Monsieur Laverdure, un touriste québécois, est arrivé ce matin à l'hôtel Bonrepos. Maintenant, il va à la réception de l'hôtel pour poser quelques questions sur les choses intéressantes à visiter dans la ville.

M. LAVERDURE: Bonjour, mademoiselle. Je suis Monsieur Laverdure, chambre 212. Je viens du Québec et je suis en vacances ici pour quelques jours. Je voudrais savoir s'il y a des choses intéressantes à faire dans la ville. Est-ce qu'il y a des monuments à visiter?

LA RÉCEPTIONNISTE: *(Oui, monsieur. Il y a un château.)*

M. LAVERDURE: Ah! Et où se trouve ce château?

LA RÉCEPTIONNISTE: *(Il se trouve derrière la place Royale.)*

M. LAVERDURE: Est-ce que je dois prendre un bus pour y aller?

LA RÉCEPTIONNISTE: *(Non, vous pouvez y aller à pied.)*

M. LAVERDURE: Comment est-ce que je fais pour y aller d'ici?

LA RÉCEPTIONNISTE: *(Quand vous sortez de l'hôtel, vous prenez la rue Bonrepos à droite, jusqu'à la rue de la Libération. Là, vous prenez à droite jusqu'à la place Royale. Le château est juste après.)*

M. LAVERDURE: Merci bien. Je pense que je vais y aller aujourd'hui. Est-ce qu'il y a un musée aussi?

LA RÉCEPTIONNISTE: *(Oui, il y a un musée d'art moderne.)*

M. LAVERDURE: Est-ce qu'il est loin de l'hôtel?

LA RÉCEPTIONNISTE: *(Non, il est tout près.)*

M. LAVERDURE: Dans quelle rue est-ce qu'il se trouve?

LA RÉCEPTIONNISTE: *(Il se trouve dans le boulevard Voltaire.)*

M. LAVERDURE: Quelle chance! . . . Ah, je voulais vous demander aussi: est-ce qu'il y a un restaurant dans le quartier?

LA RÉCEPTIONNISTE: *(Oui, il y a un restaurant en face du musée.)*

M. LAVERDURE: Je crois que ce serait plus facile si j'avais un plan de la ville. Est-ce que vous en avez un à me donner?

LA RÉCEPTIONNISTE: Oui, monsieur. Voilà. Tout y est bien indiqué. Mais surtout, n'hésitez pas à me demander si vous avez des questions. Je connais bien la ville.

M. LAVERDURE: Merci mille fois, mademoiselle. Je n'hésiterai pas à revenir vous voir.

Écoutez de nouveau la conversation. Cette fois, jouez le rôle de la réceptionniste de l'hôtel Bonrepos et répondez aux questions du touriste. Pour répondre aux questions, regardez le plan de la ville dans votre cahier. Répondez après le signal sonore.

Discovering French, Nouveau! Rouge

Langue et communication

CD 9, Track 6

Pratique orale 1, p. 316

Un ami va vous demander ce que vous feriez dans certaines situations. Répondez à ses questions en utilisant les informations dans votre cahier. D'abord, écoutez le modèle.

Modèle: Si tu allais aux États-Unis, quelle région voudrais-tu visiter?
Si j'allais aux États-Unis, je voudrais visiter la Californie.

1. Si tu étais en vacances, qu'est-ce que tu ferais? # Si j'étais en vacances, je ferais de la planche à voile toute la journée.
2. Si tu étais riche, qu'est-ce que tu t'achèterais? # Si j'étais riche, je m'achèterais un bateau.
3. Si tu pouvais voyager, où est-ce que tu irais? # Si je pouvais voyager, j'irais en Chine.
4. Si tu allais à Paris, quel monument est-ce que tu visiterais? # Si j'allais à Paris, je visiterais le Louvre.
5. Si tu gagnais à la loterie, qu'est-ce que tu ferais? # Si je gagnais à la loterie, j'offrirais des cadeaux à ma famille et à mes amis.
6. Si tu avais un gros problème, à qui est-ce que tu en parlerais? # Si j'avais un gros problème, j'en parlerais à mes parents.
7. Si ton meilleur ami oubliait ton anniversaire, qu'est-ce que tu ferais? # Si mon meilleur ami oubliait mon anniversaire, je ne serais pas fâché.
8. Si tes parents voulaient t'offrir un beau cadeau, qu'est-ce que tu choisirais? # Si mes parents voulaient m'offrir un beau cadeau, je choisirais un ordinateur.
9. Si je t'invitais au restaurant, qu'est-ce que tu ferais? # Si tu m'invitais au restaurant, je viendrais avec plaisir.
10. Si je partais habiter dans une autre ville, qu'est-ce que tu ferais? # Si tu partais habiter dans une autre ville, je te téléphonerais souvent.

CD 9, Track 7

Pratique orale 2

Votre ami Olivier n'est pas très poli. Écoutez bien ce qu'il dit et transformez chacune de ses phrases en utilisant le conditionnel pour les rendre plus polies. D'abord, écoutez le modèle.

Modèle: Je veux un café.
            Je voudrais un café.

1. Est-ce que tu peux me prêter ton stylo? # Est-ce que tu pourrais me prêter ton stylo?
2. Avez-vous l'heure, monsieur? # Auriez-vous l'heure, monsieur?
3. Pouvez-vous me dire où se trouve le théâtre? # Pourriez-vous me dire où se trouve le théâtre?
4. Nous devons partir. # Nous devrions partir.
5. Tu veux bien m'aider? # Tu voudrais bien m'aider?
6. Savez-vous s'il y a un café près d'ici? # Sauriez-vous où il y a un café près d'ici?
7. Est-ce que nous pouvons utiliser le téléphone? # Est-ce que nous pourrions utiliser le téléphone?
8. Tu ne dois pas mettre cette veste. # Tu ne devrais pas mettre cette veste.
9. Je veux m'asseoir. # Je voudrais m'asseoir.
10. Tu n'as pas trois euros à me prêter? # Tu n'aurais pas trois euros à me prêter?

Nom _____

Classe _____ Date _____

Discovering
FRENCH
Nouveau!
R O U G E

Unité 8   Partie 2   Lesson Quizzes

PARTIE 2   Petit examen 2

A. Dans mon quartier. (60 points total: 6 points per item)

Faites correspondre chaque mot français à son équivalent anglais. (Attention: tous les mots ne sont pas utilisés.)

I.

____ 1. le quartier

____ 2. un immeuble

____ 3. tout près

____ 4. la mairie

____ 5. une gendarmerie

a. nearby

b. apartment building

c. city hall

d. recreation center

e. police station

f. neighborhood

II.

____ 6. des commerces

____ 7. un centre de loisirs

____ 8. une tour

____ 9. des boutiques

____ 10. une station-service

a. neighborhood

b. small shops

c. high-rise

d. gas station

e. small businesses

f. recreation center

B. En ville. (40 points total: 8 points per item)

Écrivez la lettre qui correspond à la réponse correcte. (Attention: tous les mots ne sont pas utilisés.)

a. la banlieue   b. la bibliothèque   c. grand centre commercial   d. un HLM
e. la Maison des Jeunes   f. pompiers   g. un poste de police

11. Il y a le feu chez vous. Alors, vous appelez les _____.

12. Vous n'habitez pas près du centre-ville. Vous habitez dans _____.

13. Vous désirez acheter beaucoup de choses différentes. Vous pouvez aller au

_____.

14. Vous ne gagnez pas beaucoup d'argent. Vous pouvez habiter dans

_____.

15. Vous voulez retrouver vos amis. Vous pouvez aller à _____.

Nom _____

Classe _____ Date _____

Discovering FRENCH Nouveau!
ROUGE

Petit examen 3 (Version A)

A. Les rêves. (70 points total: 10 points per item)

Imaginez que, tout à coup, vous êtes riche! Qu'est-ce que vous feriez? Complétez les phrases avec la forme correcte du conditionnel du verbe entre parenthèses.

1. (voyager) Je _____ plus souvent.

2. (acheter) Jérôme _____ une grande maison.

3. (aller) Nous _____ à Paris demain!

4. (être) Solange et Marie _____ très heureuses.

5. (voir) Vous _____ le monde!

6. (appeler) Tu t' _____ Monsieur Riche.

7. (traverser) Je _____ l'Atlantique en paquebot.

B. Soyez plus poli. (30 points total: 10 points per item)

Mettez les phrases suivantes au conditionnel.

8. Paul <u>veut</u> téléphoner à Zoé.

   Paul _____ téléphoner à Zoé.

9. <u>Pouvons</u>-nous conduire l'auto?

   _____ -nous conduire l'auto?

10. Tu <u>dois</u> aider ta mère.

   Tu _____ aider ta mère.

Petit examen 3 (Version B)

A. Les rêves. (70 points total: 10 points per item)

Imaginez que, tout à coup, vous êtes riche! Qu'est-ce que vous feriez? Écrivez la lettre qui correspond à la forme correcte du conditionnel du verbe entre parenthèses.

1. (voyager) Je _____ plus souvent.
   a. voyagerais   b. voyagerai

2. (acheter) Jérôme _____ une grande maison.
   a. achèterait   b. achètera

3. (aller) Nous _____ à Paris demain!
   a. irons   b. irions

4. (être) Solange et Marie _____ très heureuses.
   a. seront   b. seraient

5. (voir) Vous _____ le monde!
   a. verriez   b. verrez

6. (appeler) Tu t' _____ Monsieur Riche.
   a. appellerais   b. appelleras

7. (traverser) Je _____ l'Atlantiqe en paquebot.
   a. traverserai   b. traverserais

B. Soyez plus poli. (30 points total: 10 points per item)

Écrivez la lettre qui correspond à la forme correcte du conditionnel du verbe souligné.

8. Paul <u>veut</u> téléphoner à Zoé.

   Paul _____ téléphoner à Zoé.
   a. voudrait   b. voudrais

9. <u>Pouvons</u>-nous conduire l'auto?

   _____ -nous conduire l'auto?
   a. Pourrions   b. Pourrons

10. Tu <u>dois</u> aider ta mère.

    Tu _____ aider ta mère.
    a. devras   b. devrais

Unité 8 Partie 3

Workbook TE

URB
p. 66

PARTIE 3

WRITING ACTIVITIES

A 1. Une visite à Paris Vous avez visité Paris avec un groupe d'amis. Dites ce qui s'est passé en utilisant les suggestions des deux colonnes. Soyez logique! (sample answers)

avoir le temps	aller à la tour de la Défense
être en forme	descendre à la bonne station de métro
ne pas acheter de billet	faire une promenade en bateau sur la Seine
ne pas aller aux Champs-Élysées	le regretter
ne pas avoir mal aux pieds	monter en haut de la Tour Eiffel à pied
ne pas demander les directions	ne pas entrer au palais de la Découverte
ne pas être malade	ne pas perdre tout son argent
ne pas visiter le Louvre	ne pas voir l'Arc de Triomphe
prendre des chèques de voyage	se perdre
regarder le plan (map)	se promener au jardin des Tuileries
vouloir voir un immeuble moderne	visiter le palais de Versailles

▶ Si Solange et moi, nous n'avions pas demandé les directions, nous nous serions perdu(e)s.

1. Si Solange n'avait pas eu mal aux pieds, elle se serait promenée au jardin des Tuileries.

2. Si Margot et René n'avaient pas acheté de billet, ils ne seraient pas entrés au palais de la Découverte.

3. Si tu n'avais pas été malade, tu aurais fait une promenade en bateau sur la Seine.

4. Si René et toi, vous aviez pris des chèques de voyage, vous n'auriez pas perdu tout votre argent.

5. Si moi, je (j') avais été en forme, je serais monté(e) en haut de la Tour Eiffel à pied.

6. Si nous avions voulu voir un immeuble moderne, nous serions allé(e)s à la tour de la Défense.

7. Si Margot n'avait pas visité le Louvre, elle l'aurait regretté.

8. Si tu n'étais pas allé(e) aux Champs-Élysées, tu n'aurais pas vu l'Arc de Triomphe.

9. Si toi et moi, nous avions eu le temps, nous aurions visité Versailles.

10. Si Solange et Margot avaient regardé le plan, elles seraient descendues à la bonne station de métro.

Nom _____ Date _____

Discovering
FRENCH
Nouveau!
R O U G E

Unité 8 Partie 3   Workbook TE

B **2. Au journal** Vous désirez travailler au journal local. Vous écrivez une lettre à la directrice pour la persuader de vous employer. Complétez les phrases en mettant les verbes suggérés aux temps appropriés.

Madame Lapresse,

Si vous me donniez du travail, je _____ serais _____ très heureux (heureuse). En effet, je veux
(1) être

devenir journaliste. Malheureusement, je n'ai pas beaucoup d'expérience. Si j'en _____ avais eu _____ la
(2) avoir

possibilité, j'aurais travaillé pour votre journal plus tôt. Si j'y _____ avais travaillé _____, j'aurais donné de
(3) travailler

nombreuses idées d'articles sur les jeunes. Si vous acceptez ma candidature, vous ne le _____ regretterez _____
(4) regretter

pas. Si j' _____ obtiens _____ un poste au journal, je ferai de mon mieux. Par exemple, si vous aviez besoin de
(5) obtenir

documents, j' _____ irais _____ à la bibliothèque le soir. Ou si vous _____ souhaitiez _____ connaître
(6) aller   (7) souhaiter

l'opinion des jeunes sur un problème précis, je les interrogerais. Si vous _____ étiez partie _____ en voyage,
(8) partir

j'aurais répondu au téléphone pour vous et j' _____ aurais pris _____ vos messages. Vous voyez que je serais très
(9) prendre

très utile. En fait, si vous n'aviez pas écrit cet éditorial sur les jeunes et le travail, je _____ n'aurais pas pensé _____
(10) ne pas penser

à vous écrire cette lettre. Si vous cherchiez un assistant, je _____ serais _____ la personne idéale
(11) être

pour le poste. Je promets que si vous _____ acceptez _____, je serai toujours à l'heure. Si je travaillais
(12) accepter

pour vous, je _____ réaliserais _____ un de mes rêves (dreams) et je _____ pourrais _____
(13) réaliser   (14) pouvoir

devenir journaliste plus tard.

Je vous présente mes plus sincères salutations.

_____

(votre nom)

P.S.: Si vous le souhaitiez, vous _____ pourriez _____ me contacter au 01.30.55.05.05.
(15) pouvoir

Communication

L'agence immobilière (real estate) Cet été, vous travaillez dans une agence immobilière. Aidez-vous des annonces de votre agence pour répondre aux questions de vos clients. Soyez logique! *(sample answers)*

APPARTEMENTS À VENDRE	APPARTEMENTS À LOUER	COMMERCES ET BUREAUX À LOUER
SAINT-MANDÉ En face de la mairie et du bois 3 pièces. Immeuble de pierre, rénové. Ascenseur, interphone, salle de bains marbre. 242,394€ **GONESSE** Près des écoles, du métro et du centre commercial. 5 pièces – 3 chambres. 80,000€ **BOULOGNE** Rue de Paris. Immeuble neuf. Jamais habité. 3 pièces + parking. 267,000€	**FONTENAY AUX ROSES** Studios. 500€ / mois **MAIRIE PUTEAUX** 2 pièces, cuisine, salle de bains. Tout confort. Immeuble ancien. 600€ / mois **EAUBONNE** 4 pièces. Balcon avec vue sur parc. 675€ / mois	**AUBERVILLIERS** Bureaux près de la mairie Parfait état. 900€ / mois **ÎLE SAINT-DENIS** Bel ensemble de bureaux. 10ᵉ étage. Tour avec vue sur la Seine. À partir de 250€ / mois **VITRY** Supérette avec boulangerie, boucherie et légumes. Excellente location. Prix à discuter.

▶ M. CÉSAR: J'aimerais acheter un appartement neuf.
VOUS: Si vous vouliez un appartement neuf, vous pourriez en avoir un à Boulogne.

1. M. CÉSAR: Et si je préférais louer un appartement, lequel me recommanderiez-vous?
VOUS: *Si vous préfériez en louer un, je vous recommanderais un studio à Fontenay aux Roses.*

2. M. CÉSAR: Merci, je vais réfléchir *(to think)*. Quand devrais-je vous appeler?
VOUS: *Vous devriez m'appeler demain.*

****

3. M. LEGRAND: Bonjour. J'ai trois enfants. Je ne peux pas acheter d'appartement maintenant, mais auriez-vous eu quelque chose si j'en avais cherché un?
VOUS: *Si vous en aviez cherché un, je vous aurais proposé celui de Gonesse.*

4. M. LEGRAND: Oui, je vois. Et si j'avais voulu un commerce?
VOUS: *Si vous aviez voulu un commerce, vous auriez pu louer une supérette.*

5. M. LEGRAND: Oh non! J'ai horreur de ce genre de magasin. Si je voulais acheter une boutique de vêtements, que devrais-je faire?
VOUS: *Vous devriez revenir un autre jour.*

M. LEGRAND: Bien, je vous remercie. Au revoir.

****

6. MLLE DELATOUR: Bonjour, moi, j'aimerais acheter ou peut-être louer un appartement. Mais il doit avoir une belle vue. Que dites-vous?
VOUS: *Je dis que vous en trouverez un à Eaubonne.*

7. MLLE DELATOUR: Et si je ne voulais pas payer trop cher?
VOUS: *Si vous ne vouliez pas payer trop cher, vous loueriez un studio à Fontenay aux Roses.*

8. MLLE DELATOUR: Pourrais-je visiter un appartement?
VOUS: *Vous pourriez en visiter un si vous étiez intéressée.*

MLLE DELATOUR: Et bien d'accord. Je vous rappellerai. À bientôt.

Nom _____ Date _____

Discovering
FRENCH
Nouveau!
R O U G E

Unité 8 Partie 3

Workbook TE

LISTENING/SPEAKING ACTIVITIES

Langue et Communication

Pratique orale 1 Vous allez entendre certaines personnes vous dire ce qu'elles ou d'autres personnes ont fait. Dites ce que vous auriez fait à la place de ces personnes. Pour répondre, utilisez les informations dans votre cahier. D'abord, écoutez le modèle.

▶ aller au concert

Hier, je suis allé au concert.
À ta place, je serais allé(e) au cinéma.

1. aller à la piscine
2. me promener en ville
3. regarder un film à la télé
4. aller en forêt
5. m'acheter des cassettes

6. visiter l'Italie
7. faire plus attention
8. l'inviter à prendre un pot
9. me dépêcher
10. manger du poulet et des frites

Please see the Answer Key on page 163.

Pratique orale 2 Votre amie Pauline aime beaucoup faire des suppositions. Écoutez les questions qu'elle vous pose. Pour répondre, utilisez les informations dans votre cahier. Faites bien attention au temps des verbes. D'abord, écoutez les modèles.

▶ je / partir en voyage

Si tu réussis à ton examen . . .?
Je partirai en voyage.

▶ je / travailler pendant les vacances

Mais si tu ne réussissais pas?
Je travaillerais pendant les vacances.

▶ je / réussir à mon examen l'année dernière

Et si tu avais travaillé plus?
J'aurais réussi à mon examen l'année dernière.

1. je / être content
2. je / inviter quelqu'un d'autre
3. elle / être fâchée
4. nous / aller faire un pique-nique
5. nous / aller au cinéma
6. nous / aller à la plage

7. je / faire de la planche à voile
8. je / rester à la maison pour travailler
9. je / me promener dans la forêt
10. je / m'acheter un vélo
11. je / ne pas être étonné
12. je / avoir plus de chances de gagner

1. Je serai content(e).
2. J'inviterais quelqu'un d'autre.
3. Elle aurait été fâchée
4. Nous irons faire un pique-nique.
5. Nous irions au cinéma.
6. Nous serions allés à la plage.

7. Je ferai de la planche à voile.
8. Je resterais à la maison pour travailler.
9. Je me serais promené dans la forêt.
10. Je m'achèterai un vélo.
11. Je ne serais pas étonné(e).
12. J'aurais eu plus de chances de gagner.

PARTIE 3   Langue et communication

A

Activité 1   Je n'ai rien fait . . . Écrivez les réponses en utilisant le conditionnel passé et le pronom (le / la / les, y, en).

Tu as fait tes devoirs?

Non, j'aurais dû les faire.

Tu es allé au match?

Non, j'aurais voulu y aller.

Tu as rappelé Christine?

Non, j'aurais dû la rappeler.

Tu as pris ton petit-déjeuner?

Non, j'aurais voulu le prendre.

Activité 2   Deux styles différents Transformez les phrases en utilisant le conditionnel passé.

1. Je veux qu'on me laisse tranquille!   _J'aurais voulu qu'on me laisse tranquille._

2. Vous devez vous taire!   _Vous auriez dû vous taire._

3. Je veux rentrer chez moi!   _J'aurais voulu rentrer chez moi._

4. Tu dois me montrer le chemin!   _Tu aurais dû me montrer le chemin._

5. Tu pourrais me raccompagner!   _Tu aurais pu me raccompagner._

Activité 3   Situations hypothétiques Complétez les phrases en conjugant les verbes **aller**, **écouter** et **pouvoir**.

1. Si je faisais mes devoirs, je _pourrais_ _____ sortir, ce soir.

   Si j'avais fait mes devoirs, j'_aurais pu_ _____ sortir, hier soir.

2. Si tu venais chez moi, nous _écouterions_ _____ mes nouveaux CD.

   Si tu étais venu chez moi, nous _aurions écouté_ _____ mes nouveaux CD.

3. Si nous _allions_ _____ en France cet été, nous visiterions le Mont-St-Michel.

   Si nous _étions allés_ _____ en France l'été dernier, nous aurions visité le Mont-St-Michel.

Nom _____   Date _____

B

Activité 1 Dommage! Complétez les phrases de façon logique et avec le conditionnel passé.

1. J'*aurais voulu aller* _____ en France, mais je n'ai pas pu y aller.

2. Nous *aurions dû* _____ faire nos devoirs, mais nous ne les avons pas faits.

3. Tu *aurais pu* _____ m'aider, mais tu n'as pas voulu.

4. Vous *auriez dû* _____ venir à la fête. Il ne fallait pas rester chez vous.

Activité 2 Marie-Laure est désolée . . . Transformez les phrases en utilisant le conditionnel passé.

1. Je dois faire plus attention . . .   *J'aurais dû faire plus attention . . .*

2. Écoute, tu pouvais patienter un peu!   *Tu aurais pu patienter un peu.*

3. Nous devions acheter un cadeau.   *Nous aurions dû acheter un cadeau.*

4. Nous devions être à l'heure!   *Nous aurions dû être à l'heure.*

5. Nous pouvions nous excuser!   *Nous aurions pu nous excuser.*

Activité 3 Situations hypothétiques Complétez les phrases de façon logique.

Si je lisais ce chapitre, le prof serait content.

Si tu l'*appelais*, Simone *viendrait* ici.

Si nous partions, nous arriverions à l'heure.

Si vous *veniez* chez nous, nous *resterions*.

Si *j'avais lu* ce chapitre, le prof *aurait été* content.

Si tu l'avais appelée, Simone serait venue ici.

Si nous *étions partis*, nous *serions arrivés* à l'heure.

Si vous étiez venus chez nous, nous serions restés.

C

Activité 1 Qu'est-ce que vous auriez fait, si . . . (Sample answers)

1. . . . vous aviez gagné $10 000 l'année dernière?

   J'aurais acheté une voiture.

2. . . . vous étiez né en France?

   Je serais allé à l'école en France.

3. . . . votre meilleur(e) ami(e) n'était pas venu(e) à votre fête d'anniversaire?

   J'aurais été triste.

4. . . . vous aviez raté vos examens, l'année dernière?

   J'aurais beaucoup étudié pendant l'été.

5. . . . vous n'aviez pas fait vos devoirs, hier?

   Je présenterais mes excuses au prof.

Activité 2 Les quatre saisons Faites des phrases avec les éléments donnés et en utilisant le conditionnel passé. (Sample answers)

devoir	vouloir	aimer	
été	automne	hiver	printemps
nous	je	mes amis	ma soeur

1. *L'hiver dernier, j'aurais voulu faire plus de ski.*
2. *L'automne dernier, ma soeur aurait aimé faire de la danse moderne.*
3. *L'été dernier, nous aurions aimé faire de l'escalade.*
4. *Le printemps dernier, j'aurais dû nager un peu plus.*

Activité 3 Situations hypothétiques Complétez les phrases en utilisant le conditionnel passé.

1. —Si j'avais de l'argent, j'achèterais un appareil-photo numérique.

   Si j'avais eu de l'argent, j'aurais acheté un appareil-photo numérique, l'année dernière.

2. —Si j'étudiais un peu plus, mes parents seraient contents.

   Si j'avais étudié un peu plus, mes parents auraient été contents, le semestre dernier.

3. —Si je le pouvais, j'irais à Paris cet été.

   Si je l'avais pu, je serais allé à Paris, l'été dernier.

4. —Si nos amis étaient là, nous ne nous ennuyerions pas.

   Si nos amis avaient été là, nous ne nous serions pas ennuyés, hier.

Discovering
FRENCH
Nouveau!

ROUGE

PARTIE 3 page 320

Objectives

Communication Functions and Contexts	To discuss city life
Linguistic Goals	To use the past conditional to hypothesize about what one would do under certain circumstances
Reading and Cultural Objectives	To learn what types of street artists you might see in Paris or other large cities To read for enjoyment To read a short story: *Les pêches* by André Theuriet

Motivation and Focus

❏ *INFO Magazine:* Have students preview the articles on pages 320–321. Use the TEACHING STRATEGY suggestions on TE page 320 to guide students' reading for pleasure. Share the NOTE CULTURELLE and ADDITIONAL INFORMATION in the margin of TE page 320. Students can compare the street entertainment mentioned in the articles to that in the local area. Do the TEACHING STRATEGY: Expansion, TE pages 321, and the *Et vous?* activities on page 321.

Presentation and Explanation

❏ *Langue et communication (Le conditionnel passé):* Present the use of the past conditional to express what would have happened under certain circumstances, page 322. Explain the information about the uses of the past conditional in the NOTE LINGUISTIQUE, TE page 322. Model the examples for students to repeat. Do the suggestion in TEACHING STRATEGY, TE page 322, to have students use the past conditional. You may want to discuss the past conditional of *vouloir*, *pouvoir*, and *devoir* in *Allons plus loin*, page 323.

❏ *Langue et communication (Résumé: l'usage des temps avec si):* Review the sequence of tenses with *si* on page 324. Model the examples for students to repeat. Guide students to discover the tenses used in the different clauses. You may want to use the NOTE LINGUISTIQUE, TE page 324, to explain modifications of the sequence of tenses.

Guided Practice and Checking Understanding

❏ Use the TEACHING STRATEGY: Expansion, TE page 323, to have students discuss and write about what would have happened in various situations. Follow the suggestions in TEACHING STRATEGY: Review, TE page 324, to help students with the different tenses.

❏ Have students do page 158 of the **Workbook** as you play the **Audio**, CD 9, Tracks 8–9, or read from the **Audioscript**, page 86.

❏ Review **Video** 8, *Vidéo-Drame*.

Independent Practice

❏ *Pair activities:* Model the activities on pages 323–325. Students can work in pairs on activities 1–5 and 7. Have them check their answers in the **Student Text Answer Key**, pp. 153–160.

❏ *Homework:* Assign activities 6 and 8 for homework.

❏ Do any of the additional activities in **Teacher to Teacher**, pages 97–104.

❏ Have students do the activities in **Activités pour tous,** pages 71–73.

Monitoring and Adjusting

❑ Have students do the writing activities on pages 84–86 of the **Workbook**.
❑ Check use of the past conditional and sequence of tenses as students work on the practice activities. Refer back to the boxes on pages 322 and 324 as needed.

Assessment

❑ Use the quiz for *INFO Magazine* in **Reading and Culture Tests and Quizzes**. Use the **Unit Quiz** for *Partie 3* as appropriate.
❑ Administer **Unit Test 8** after completing all of the unit's activities. You may also wish to give any or all of the **Performance Tests** for the unit: **Listening Comprehension Performance, Speaking Performance**, and **Writing Performance**.

Reteaching

❑ If students had difficulty with any of the activities, reteach the section and have students redo the activities.

Extension and Enrichment

❑ Share the NOTES CULTURELLES, TE page 325, about municipal governments in French cities. Students can make comparisons to local governments.
❑ Students can read the short story in *Lecture: Les pêches*, pages 327–332, for enjoyment, or read any of the *Interlude culturel 8* selections, pages 334–343, for information.

Summary and Closure

❑ Use **Overhead Transparency** 47. Ask students to talk about what they would like to do or where they would like to go if they were in France. As students share their ideas, guide others in the class to summarize the communicative and linguistic goals demonstrated.
❑ *Lecture (Les pêches):* Read the description of André Theuriet and the historical setting of the story in *Avant de lire*, page 326. Use **Overhead Transparency** L8 to preview the story as suggested in the TEACHING NOTES on TE page 326. Help students make predictions about the story with *Anticipons un peu!*, page 327. Students can read the story independently or in pairs, stopping after each section to answer the questions in *Avez-vous compris?* and *Anticipons un peu!*. See the TEACHING STRATEGIES and TEACHING NOTES in the TE margins to explain changes in story narration and setting. Use the *Et vous?* and *À votre avis* questions on pages 331–332 to help students suggest what they would have done in the situation and to discuss Vital Herbelot's decision. Use the quiz for *Lecture* in **Reading and Culture Tests and Quizzes**. Choose any or all of the *Après la lecture* oral and written activities on pages 332–333 to conclude the discussion of *Les pêches*.
❑ You may want to use the STUDENT PORTFOLIOS suggestions on TE page 333 to record *Après la lecture* activities for Oral Portfolios.

Discovering
FRENCH
Nouveau!

R O U G E

INTERLUDE CULTUREL 8:
Les Antilles francophones, page 334

Objectives

Reading Objectives To read for content: information about the French-speaking Caribbean islands
To read poetry: *Pour saluer le Tiers-Monde* by Aimé Césaire; *Pour Haïti* by René Depestre
To read a film summary: *Rue Cases-nègres*

Cultural Objectives To learn about important periods and events of the French Antilles
To learn about important people from the Antilles: Joséphine de Beauharnais, Aimé Césaire, Toussaint Louverture
To learn about Haitian art as an expression of life

Note: The *Interlude culturel* contains cultural information about the French-speaking Caribbean islands. It can be taught as a lesson or introduced in smaller sections as parts of other lessons. The material can be used to expand cultural awareness, as source material for students' research projects, to develop reading skills, or to build cultural knowledge.

Motivation and Focus

❑ Have students preview the pictures on pages 334–343. Encourage them to share what they know about the Caribbean. Use **Overhead Transparency** 3 to help locate the islands. Read the titles and subtitles on each page. Discuss the people, climate, and geographical region. Who lived on the islands before Europeans arrived? Who are some famous people from the Caribbean islands? How would you describe the art of Haiti? Share the NOTES CULTURELLES, TE page 334.

❑ Students can begin a project based on *Interlude culturel 8*. Help them begin to research a topic such as a historical event, a famous person, or art from the region.

Presentation and Explanation

❑ Present an overview of the information on page 334 using **Overhead Transparency** H5. Have students read page 334. Share the NOTES LINGUISTIQUES in the TE margin. Guide students as they read for information. Have them answer the following questions and discuss the responses. What people came to the islands? Why did they come to the islands? When did some of the islands become independent? Which islands are departments of France?

❑ Have students guess what they will read about on page 335. Explain the NOTE HISTORIQUE and ADDITIONAL INFORMATION in the TE margin. Encourage students to read the selection quickly to find out when the volcano erupted and what the results of the eruption were. Ask students if they believe in curses.

❑ Have students work in small groups to read about the two people on page 336, with half the class reading about Joséphine and the other half reading about Césaire. Ask them to summarize what they learned. You may want to share the NOTE CULTURELLE and ADDITIONAL INFORMATION in the TE margin. Students can look at *Interlude 5*, pages 216–225, for background information on the French Revolution.

❑ Read together about *la négritude*, page 336. Guide students to discover the founders of the movement and their countries of origin. Students can make comparisons between *la négritude* in French-speaking countries and the Black movement in the U.S. Read the poem on page 337 aloud as students follow along in their books. Use the interpretation of the poem in the TEACHING NOTE on TE page 337 to guide student discussion of the feelings and events being described.

❏ Have students read page 338 to find out about Toussaint Louverture. Guide discussion of the events leading up to the revolt, Louverture's role in the revolution, and the outcome. Share the ADDITIONAL INFORMATION and NOTE CULTURELLE on TE page 338. Students may want to compare Toussaint Louverture to a past or contemporary Black American leader.

❏ Read and discuss the introduction to the poem on page 339. Encourage students to comment on feelings that exiles might experience. Read the poem aloud as students follow along in their books. Guide students to summarize the content and identify the theme of the poem. You may want to use the TEACHING NOTE suggestion on TE page 339 to compare this poem to *Liberté* on page 257.

❏ Ask students to describe the paintings on pages 340–341; use the TEACHING STRATEGY, TE page 340. As students read the pages, guide discussion of the styles, colors, and content of the pictures. Share information from the NOTES CULTURELLES and NOTE HISTORIQUE on TE pages 340–341.

❏ Use the photos on page 343 to preview the film *Rue Cases-nègres*. See the TEACHING NOTES, TE page 342 for suggestions and cautions about using the film in class. Read and discuss the film summary on page 342 and the photo captions on page 343. Share the NOTES CULTURELLES, TE pages 342–343.

Guided Practice and Checking Understanding

❏ You may want to check understanding of these readings by asking students to do a short oral summary of each section. Guide other students to add information as needed.

Independent Practice

❏ Have students read the selections independently. Students can choose their favorite person, poem, or picture and write a short paragraph explaining why it is their favorite.

Monitoring and Adjusting

❏ Monitor students' understanding of the readings and cultural content. If students had difficulty in discussions, reread portions aloud and restate the information.

Assessment

❏ Use **Reading and Culture Tests and Quizzes** for *Interlude culturel 8* to assess students' understanding of the information in this section.

Reteaching

❏ Have students review any sections that they found difficult. Provide background knowledge and vocabulary explanations to help them understand the readings.

Extension and Enrichment

❏ Students may wish to research legends of the Caribbean, or other French-speaking islands not presented in the *Interlude*.

❏ For expansion activities, direct students to www.classzone.com.

Summary and Closure

❏ Students can present their research and group projects to the class. Help students summarize what they have learned about French-speaking Caribbean islands.

❏ Do the STUDENT PORTFOLIOS suggestion on TE page 339 to have students write and illustrate their own short poems.

PARTIE 3   page 320

Block schedule (4 days to complete, including unit test)

Objectives

Communication Functions and Contexts   To discuss city life

Linguistic Goals   To use the past conditional to hypothesize about what one would do under certain circumstances

Reading and Cultural Objectives   To learn what types of street artists you might see in Paris or other large cities
To read for enjoyment
To read a short story: *Les pêches* by André Theuriet

Block Schedule

Process Time   Allow students time to look back through the unit and review the vocabulary and grammatical concepts that have been covered. Ask them to share what they found interesting, helpful, easy, difficult, etc. For grammatical concepts, have students who found a particular concept easy explain it to those who found it difficult. ■

Day 1

Motivation and Focus

❑ *INFO Magazine:* Have students preview the articles on pages 320–321. Use the TEACHING STRATEGY suggestions on TE page 320 to guide students' reading for pleasure. Share the NOTE CULTURELLE and ADDITIONAL INFORMATION in the margin of TE page 320. Students can compare the street entertainment mentioned in the articles to that in the local area. Do the TEACHING STRATEGY: EXPANSION, TE page 321, and the *Et vous?* activities on page 321.

Presentation and Explanation

❑ *Langue et communication (Le conditionnel passé):* Present the use of the past conditional to express what would have happened under certain circumstances, page 322. Explain the information about the uses of the past conditional in the NOTE LINGUISTIQUE, TE page 322. Model the examples for students to repeat. Do the suggestion in TEACHING STRATEGY, TE page 322, to have students use the past conditional. You may want to discuss the past conditional of **vouloir**, **pouvoir**, and **devoir** in *Allons plus loin*, page 323.

Guided Practice and Checking Understanding

❑ Use the TEACHING STRATEGY: EXPANSION, TE page 323, to have students discuss and write about what would have happened in various situations. Follow the suggestions in TEACHING STRATEGY: REVIEW, TE page 324, to help students with the different tenses.

Independent Practice

❑ *Pair activities:* Model the activities on pages 323–324. Students can work in pairs on activities 1–4. Have them check their answers in the **Student Text Answer Key**, pp. 153–160.

❑ Do any of the additional activities in **Teacher to Teacher**, pages 97–104.

Day 2

Presentation and Explanation

❑ *Langue et communication (Résumé: l'usage des temps avec **si**):* Review the sequence of tenses with **si** on page 324. Model the examples for students to repeat. Guide students to discover the tenses used in the different clauses. You may want to use the NOTE LINGUISTIQUE, TE page 324, to explain modifications of the sequence of tenses.

Guided Practice and Checking Understanding

❑ Have students do page 158 of the **Workbook** as you play the **Audio**, CD 9, Tracks 8–9, or read from the **Audioscript**, page 86.
❑ Review **Video** 8, *Vidéo-Drame*.

Independent Practice

❑ *Pair activities:* Model the activities on page 325. Students can work in pairs on activities 5 and 7. Have them check their answers in the **Student Text Answer Key**, pp. 153–160.
❑ *Homework:* Assign activities 6 and 8 (page 325).
❑ Do any of the additional activities in **Teacher to Teacher**, pages 97–104.

Day 3

Monitoring and Adjusting

❑ Have students do the writing activities on pages 84–86 of the **Workbook**.
❑ Check use of the past conditional and sequence of tenses as students work on the practice activities. Refer back to the boxes on pages 322 and 324 as needed.

Reteaching (as required)

❑ If students had difficulty with any of the book activities, reteach the section and have students redo the activities.

Extension and Enrichment (as desired)

❑ Share the NOTES CULTURELLES, TE page 325, about municipal governments in French cities. Students can make comparisons to local governments.
❑ For expansion activities, direct students to www.classzone.com.
❑ Students can read the short story in *Lecture: Les pêches*, pages 327–332, for enjoyment, or read any of the *Interlude culturel 8* selections, pages 334–343, for information.
❑ Have students do the **Block Schedule Activity** at the top of page 78 of these lesson plans.
❑ Use the **Block Scheduling Copymasters**, pages 137–144.

Summary and Closure

❑ Use **Overhead Transparency** 47. Ask students to talk about what they would like to do or where they would like to go if they were in France. As students share their ideas, guide others in the class to summarize the communicative and linguistic goals demonstrated.
❑ *Lecture (Les pêches):* Read the description of André Theuriet and the historical setting of the story in *Avant de lire*, page 326. Use **Overhead Transparency** L8 to preview the story

as suggested in the TEACHING NOTES on TE page 326. Help students make predictions about the story with *Anticipons un peu!*, page 327. Students can read the story independently or in pairs, stopping after each section to answer the questions in *Avez-vous compris?* and *Anticipons un peu!*. See the TEACHING STRATEGIES and TEACHING NOTES in the TE margins to explain changes in story narration and setting. Use the *Et vous?* and *À votre avis* questions on pages 331–332 to help students suggest what they would have done in the situation and to discuss Vital Herbelot's decision. Use the quiz for *Lecture* in **Reading and Culture Tests and Quizzes**. Choose any or all of the *Après la lecture* oral and written activities on pages 332–333 to conclude the discussion of *Les pêches*.

❑ You may want to use the STUDENT PORTFOLIOS suggestions on TE page 333 to record *Après la lecture* activities for Oral Portfolios.

Assessment

❑ Use the quiz for *INFO Magazine* in **Reading and Culture Tests and Quizzes**. Use the **Lesson Quiz** for *Partie 3* as appropriate.

Day 4

Reteaching (as required)

❑ Redo any of the activities in the **Workbook** that caused students difficulty.

Assessment

❑ Administer **Unit Test 8** after completing all of the unit's activities. You may also wish to give any or all of the **Performance Tests** for the unit: **Listening Comprehension Performance, Speaking Performance**, and **Writing Performance**.

INTERLUDE CULTUREL 8:
<u>Les Antilles Francophones,</u> page 334

Block schedule (2 days to complete—optional)

Objectives

Reading Objectives   To read for content: information about the French-speaking Caribbean islands
To read poetry: *Pour saluer le Tiers-Monde* by Aimé Césaire; *Pour Haïti* by René Depestre
To read a film summary: *Rue Cases-nègres*

Cultural Objectives   To learn about important periods and events of the French Antilles
To learn about important people from the Antilles: Joséphine de Beauharnais, Aimé Césaire, Toussaint Louverture
To learn about Haitian art as an expression of life

Note: The *Interlude culturel* contains cultural information about the French-speaking Caribbean islands. It can be taught as a lesson or introduced in smaller sections as parts of other lessons. The material can be used to expand cultural awareness, as source material for students' research projects, to develop reading skills, or to build cultural knowledge.

Day 1

Motivation and Focus

❑ Have students preview the pictures on pages 334–343. Encourage them to share what they know about the Caribbean. Use **Overhead Transparency** 3 to help locate the islands. Read the titles and subtitles on each page. Discuss the people, climate, and geographical region. Who lived on the islands before Europeans arrived? Who are some famous people from the Caribbean islands? How would you describe the art of Haiti? Share the NOTES CULTURELLES, TE page 334.

Presentation and Explanation

❑ Present an overview of the information on page 334 using **Overhead Transparency** H5. Have students read page 334. Share the NOTES LINGUISTIQUES in the TE margin. Guide students as they read for information. Have them answer the following questions and discuss the responses. What people came to the islands? Why did they come to the islands? When did some of the islands become independent? Which islands are departments of France?

❑ Have students guess what they will read about on page 335. Explain the NOTE HISTORIQUE and ADDITIONAL INFORMATION in the TE margin. Encourage students to read the selection quickly to find out when the volcano erupted and what the results of the eruption were. Ask students if they believe in curses.

❑ Have students work in small groups to read about the two people on page 336, with half the class reading about Joséphine and the other half reading about Césaire. Ask them to summarize what they learned. You may want to share the NOTE CULTURELLE and ADDITIONAL INFORMATION in the TE margin. Students can look at *Interlude 5*, pages 216–225, for background information on the French Revolution.

❑ Read together about *la négritude*, page 336. Guide students to discover the founders of the movement and their countries of origin. Students can make comparisons between *la*

URB p. 81

Unité 8, Partie 3

Discovering French, Nouveau! Rouge   *Interlude culturel* Block Scheduling Lesson Plans

négritude in French-speaking countries and the Black movement in the U.S. Read the poem on page 337 aloud as students follow along in their books. Use the interpretation of the poem in the TEACHING NOTE on TE page 337 to guide student discussion of the feelings and events being described.

❑ Have students read page 338 to find out about Toussaint Louverture. Guide discussion of the events leading up to the revolt, Louverture's role in the revolution, and the outcome. Share the ADDITIONAL INFORMATION and NOTE CULTURELLE on TE page 338. Students may want to compare Toussaint Louverture to a past or contemporary Black American leader.

Guided Practice and Checking Understanding

❑ You may want to check understanding of these readings by asking students to do a short oral summary of each section. Guide other students to add information as needed.

Day 2

Motivation and Focus

❑ Students can begin a project based on *Interlude culturel 8*. Help them begin to research a topic such as a historical event, a famous person, or art from the region.

Presentation and Explanation

❑ Read and discuss the introduction to the poem on page 339. Encourage students to comment on feelings that exiles might experience. Read the poem aloud as students follow along in their books. Guide students to summarize the content and identify the theme of the poem. You may want to use the TEACHING NOTE suggestion on TE page 339 to compare this poem to *Liberté* on page 257.

❑ Ask students to describe the paintings on pages 340–341; use the TEACHING STRATEGY, TE page 340. As students read the pages, guide discussion of the styles, colors, and content of the pictures. Share information from the NOTES CULTURELLES and NOTE HISTORIQUE on TE pages 340–341.

❑ Use the photos on page 343 to preview the film *Rue Cases-nègres*. See the TEACHING NOTES, TE page 342 for suggestions and cautions about using the film in class. Read and discuss the film summary on page 342 and the photo captions on page 343. Share the NOTES CULTURELLES, TE pages 342–343.

Independent Practice

❑ Have students read the selections independently. Students can choose their favorite person, poem, or picture and write a short paragraph explaining why it is their favorite.

Monitoring and Adjusting

❑ Monitor students' understanding of the readings and cultural content. If students had difficulty in discussions, reread portions aloud and restate the information.

Reteaching (as required)

❑ Have students review any sections that they found difficult. Provide background knowledge and vocabulary explanations to help them understand the readings.

Extension and Enrichment (as desired)

❑ Students may wish to research legends of the Caribbean, or other French-speaking islands not presented in the *Interlude*.

❑ For expansion activities, direct students to www.classzone.com.

Summary and Closure

❑ Students can present their research and group projects to the class. Help students summarize what they have learned about French-speaking Caribbean islands.

❑ Do the STUDENT PORTFOLIOS suggestion on TE page 339 to have students write and illustrate their own short poems.

Assessment (optional)

❑ Use **Reading and Culture Tests and Quizzes** for *Interlude culturel 8* to assess students' understanding of the information in this section.

Notes

Nom _____

Classe _____ Date _____

Discovering
FRENCH
Nouveau!

R O U G E

PARTIE 3 INFO Magazine; Langue et communication A, pages 320–324

Materials Checklist

❑ **Student Text**
❑ **Audio** CD 9, Track 8
❑ **Video** 8, *Vidéo-Drame*
❑ **Workbook**

Steps to Follow

❑ Read *Le spectacle est dans la rue* in *INFO Magazine* in the text (pp. 320–321). What are some of the activities that take place on French streets? What types of artists perform there?
❑ Complete *Définitions* and *Expression écrite* in *Et vous?* in the text (p. 321).
❑ Study *Le conditionnel passé* in the text (pp. 322–323). Read the model sentences aloud.
❑ Do Listening/Speaking Activity *Pratique orale 1* in the **Workbook** (p. 158). Use **Audio** CD 9, Track 8.
❑ Do Activity 1 in the text (p. 323). Write what you would have done in Sebastien's place in complete sentences. Read your answers aloud.
❑ Do Activities 2 and 3 in the text (p. 323). Complete the dialogues and read both parts aloud.
❑ Do Activity 4 in the text (p. 324). Circle the verbs in the **plus-que-parfait**. Underline the verbs in the **conditionnel passé**.
❑ Do Writing Activity 1 in the **Workbook** (p. 84).
❑ Watch **Video** 8, *Vidéo-Drame*. Pause and replay if necessary.

If You Don't Understand . . .

❑ Listen to the **CD** in a quiet place. Try to stay focused. If you get lost, stop the **CD**. Replay it and find your place.
❑ Watch the **Video** or **DVD** in a quiet place. Try to stay focused. If you get lost, stop the **Video** or **DVD**. Replay it and find your place.
❑ Read the activity directions carefully. Say them or write them in your own words.
❑ On a separate sheet of paper, write down the words that are new. Learn their meanings.
❑ Write down any questions so that you can ask your partner or your teacher later.

Self Check

Mettez les verbes entre parenthèses au conditionnel passé. Suivez le modèle.

▶ Si j'avais fait attention, je (ne pas rater) le bus.
  Si j'avais fait attention, je n'aurais pas raté le bus.

1. Si tu t'étais entraîné, tu (gagner) ton match.
2. Si le train n'avait pas été en retard, elle (venir) à l'heure.
3. Si nous nous étions retrouvés plus tôt, nous (pouvoir) aller au concert ensemble.
4. Si vous vous étiez dépêchés, vous (ne pas manquer) le train.

Answers

1. Si tu t'étais entraîné, tu aurais gagné ton match.   2. Si le train n'avait pas été en retard, elle serait venue à l'heure.   3. Si nous nous étions retrouvés plus tôt, nous aurions pu aller au concert ensemble.   4. Si vous vous étiez dépêchés, vous n'auriez pas manqué le train.

PARTIE 3 Langue et communication 3, pages 324–325

Materials Checklist
☐ **Student Text**
☐ **Audio** CD 9, Track 9
☐ **Video** 8, *Vidéo-Drame*
☐ **Workbook**

Steps to Follow
☐ Study *Résumé: l'usage des temps avec **si*** in the text (p. 324). Review *Formation du futur, Formation du conditionnel, Formation de l'imparfait,* and *Formation du plus-que-parfait* in *Révision* in *Appendix A* (pp. R18–R19).
☐ Do Listening/Speaking Activity *Pratique orale 2* in the **Workbook** (p. 158). Use **Audio** CD 9, Track 9.
☐ Do Activity 5 in the text (p. 324). Write your answers in complete sentences. Underline the verb in the present in each one. Circle the verb in the future. Read your answers aloud.
☐ Do Activity 7 in the text (p. 325). Read your answers aloud.
☐ Do Activity 8 in the text (p. 325). List the verbs on a separate sheet of paper.
☐ Do Writing Activity 2 in the **Workbook** (p. 85).
☐ Watch **Video** 8, *Vidéo-Drame*. Pause and replay if necessary.

If You Don't Understand . . .
☐ Listen to the **CD** in a quiet place. Try to stay focused. If you get lost, stop the **CD** and find your place.
☐ Watch the **Video** or **DVD** in a quiet place. Try to stay focused. If you get lost, stop the **Video** or **DVD**. Replay it and find your place.
☐ Read the activity directions carefully. Say them or write them in your own words.
☐ Read your answers aloud. Check spelling and accents.
☐ On a separate sheet of paper, write down the words that are new. Learn their meanings.
☐ Write down any questions so that you can ask your partner or your teacher later.

Self Check

Mettez les verbes entre parenthèses au temps qu'il faut. Attention! Faites les changements nécessaires. Suivez le modèle.

▶ Si Thomas le peut, il (aller) au Maroc.
  Si Thomas le peut, il ira au Maroc.

1. Si j'avais été libre, je (*m.*) (venir) avec vous.
2. Si elle parlait russe, Isabelle (voyager) en Russie.
3. Si nous avons le temps, nous (partir) à la campagne.
4. Si vous venez dîner avec nous, nous vous (offrir) de très bonnes choses à manger.
5. S'ils avaient su la réponse, ils nous le (dire).

Answers

1. Si j'avais été libre, je serais venu avec vous.   2. Si elle parlait russe, Isabelle voyagerait en Russie.   3. Si nous avons le temps, nous partirons à la campagne.   4. Si vous venez dîner avec nous, nous vous offrirons de très bonnes choses à manger.   5. S'ils avaient su la réponse, ils nous l'auraient dite.

PARTIE 3

Langue et communication

CD 9, Track 8

Pratique orale 1, p. 322

Vous allez entendre certaines personnes vous dire ce qu'elles ou d'autres personnes ont fait. Dites ce que vous auriez fait **à la place de** ces personnes. Pour répondre, utilisez les informations dans votre cahier. D'abord, écoutez le modèle.

Modèle: Hier, je suis allé au concert.
À ta place, je serais allé(e) au cinéma.

1. Ce matin, j'ai fait mes devoirs. # À ta place, je serais allé(e) à la piscine.
2. Hier, ma soeur est allée à la bibliothèque. # À sa place, je me serais promené(e) en ville.
3. Dimanche dernier, j'ai rangé ma chambre. # À ta place, j'aurais regardé un film à la télé.
4. Ce week-end, nous sommes restés à la maison. # À votre place, je serais allé(e) en forêt.
5. Cet après-midi, je me suis acheté des tee-shirts. # À ta place, je me serais acheté des cassettes.
6. L'été dernier, mes cousins ont visité la Suisse. # À leur place, j'aurais visité l'Italie.
7. Ce matin, j'ai perdu mon portefeuille. # À ta place, j'aurais fait plus attention.
8. Hier, mon frère a rencontré une fille très sympa. # À sa place, je l'aurais invitée à prendre un pot.
9. La semaine dernière, mes parents ont raté l'avion. # À leur place, je me serais dépêché(e).
10. À midi, à la cafétéria, j'ai mangé une omelette. # À ta place, j'aurais mangé du poulet et des frites.

CD 9, Track 9

Pratique orale 2

Votre amie Pauline aime beaucoup faire des suppositions. Écoutez les questions qu'elle vous pose. Pour répondre, utilisez les informations dans votre cahier. Faites bien attention au temps des verbes. D'abord, écoutez les modèles.

Modèle A: Si tu réussis à ton examen . . . ? Je partirai en voyage.

Modèle B: Mais si tu ne réussissais pas? Je travaillerais pendant les vacances.

Modèle C: Et si tu avais travaillé plus? J'aurais réussi à mon examen l'année dernière.

1. Si Marie accepte ton invitation . . . ? # Je serai content(e).
2. Mais si elle n'acceptait pas? # J'inviterais quelqu'un d'autre.
3. Et si tu ne l'avais pas invitée? # Elle aurait été fâchée.
4. S'il fait beau demain . . . ? # Nous irons faire un pique-nique.
5. Et s'il ne faisait pas beau? # Nous irions au cinéma.
6. Et s'il avait fait beau ce matin? # Nous serions allés à la plage.
7. Si tu as du temps libre cet après-midi . . . # Je ferai de la planche à voile.
8. Mais si tu n'avais pas de temps libre? # Je resterais à la maison pour travailler.
9. Et si tu avais eu du temps libre hier? # Je me serais promené dans la forêt.
10. Si tu gagnes à la loterie . . . ? # Je m'achèterai un vélo.
11. Mais si tu ne gagnais pas à la loterie? # J ne serais pas étonné(e).
12. Et si tu avais acheté plusieurs billets de loterie? # J'aurais eu plus de chances de gagner.

PARTIE 3   Petit examen 4 (Version A)

A. Le conditionnel passé. (40 points total: 10 points per item)

Complétez les phrases avec la forme correcte du conditionnel passé du verbe entre parenthèses.

1. (prendre) J' _____ le bus.

2. (rester) Nous _____ chez eux.

3. (réussir) Ils _____ à l'examen.

4. (s'amuser) Vous _____.

B. Résumé: l'usage des temps avec *si*. (60 points total: 10 points per item)

Complétez les phrases suivantes avec la forme du verbe *aller* qui convient.

5. Si Paul doit faire des courses, il _____ au grand centre commercial.

6. Si nous avions une voiture, nous _____ à la campagne ce week-end.

7. S'il avait fait beau, je _____ à la plage.

8. Si tu as besoin de pain, _____ à la boulangerie.

9. Où est-ce qu'ils _____ s'ils voyageaient?

10. Si vous _____ au concert, vous vous seriez amusés.

Nom _____

Classe _____ Date _____

Discovering
FRENCH
Nouveau!

R O U G E

Petit examen 4 (Version B)

A. Le conditionnel passé. (40 points total: 10 points per item)

Écrivez la lettre qui correspond à la forme correcte du conditionnel passé du verbe entre parenthèses.

1. (prendre) J' _____ le bus.
   a. aurais pris   b. aurai pris

2. (rester) Nous _____ chez eux.
   a. étions resté(e)s   b. serions resté(e)s

3. (réussir) Ils _____ à l'examen.
   a. auront réussi   b. auraient réussi

4. (s'amuser) Vous _____ .
   a. vous seriez amusé(e)(s)   b. vous serez amusé(e)(s)

B. Résumé: l'usage des temps avec *si*. (60 points total: 10 points per item)

Écrivez la lettre qui correspond à la forme du verbe *aller* qui convient.

5. Si Paul doit faire des courses, il _____ au grand centre commercial.
   a. ira   b. irait

6. Si nous avions une voiture, nous _____ à la campagne ce week-end.
   a. irons   b. irions

7. S'il avait fait beau, je _____ à la plage.
   a. serai allé(e)   b. serais allé(e)

8. Si tu as besoin de pain, _____ à la boulangerie.
   a. va   b. aille

9. Où est-ce qu'ils _____ s'ils voyageaient?
   a. iraient   b. allaient

10. Si vous _____ au concert, vous vous seriez amusés.
    a. étiez allés   b. êtes allés

UNITÉ 8

Lecture

A

*Les Propriétés
du Nord-Ouest...*

Pays d'Ouche, limite Perche (Orne)

L'Aigle 8 km. Paris 130 km. Au calme, maison de caractère (entièrement rénovée), 8 pièces : séjour double (cheminée), bureau, cuisine équipée, 5 chambres, 2 w-c, 2 salles de bains, grenier (25 m2), cave, chaufferie. Habitable sans frais. Plein sud. Communs : 3 garages, 1 pièce rangement. Maison gardiennage (33 m2) : 3 pièces, douche, w-c, garage. Verger, potager, puits. Chauffage fioul, pompe à chaleur. Hangar-bergerie (96 m2). Sur 2 ha, boqueteau (3 000 m2), convient équitation. Bois et rivière à 800 m. Center-Parcs (12 km). 340.000 €. Son propriétaire répond au ✆ 02.33.02.33.02 heures repas.

Compréhension

1. Quelles sont les huit pièces de la maison? Nommez-les en mettant l'article.

   une salle de séjour double, un bureau, une cuisine et cinq chambres

2. Dans quelle direction la maison est-elle orientée?

   vers le sud

3. Quel hors-d'oeuvre est à la racine du mot **potager**? Donc, que trouve-t-on dans un **potager**?

   potage   *des légumes*

4. Quel sport peut-on pratiquer sur cette propriété?

   l'équitation

5. À quelle heure peut-on joindre le propriétaire par téléphone?

   aux heures de repas

Qu'est-ce que vous en pensez?

1. Que veut dire **maison de caractère**?

   une maison ancienne / une vieille maison

2. Comment diriez-vous **pièce de rangements** en anglais?

   storage room

Unité 8 Resources

Activités pour tous Reading

B

Les Propriétés du Sud-Est…

Ancienne maison noble dans le Beaujolais, 35 mn Lyon (Rhône)

Dans vieux hameau du pays des Pierres dorées, superbe vue sur Dauphiné, Bresse, Bugey et Alpes. Autoroute 12 km. 250 m² au sol 2 niveaux. Cuisine 70 m², grande salle - cheminée colonette Renaissance, piliers-chapitaux simples 47 m², bureau 20 m², salle à manger 35 m², salon 35 m² - cheminée XVIIIe siècle. Au 1er : 5 chambres (20 à 45 m²), 2 salles de bains, 3 w-c, mezzanine, chambre mansardée. Grenier. Chauffage central fioul + pompe à chaleur, cave 100 m². 2e maison 50 m² au sol, 2 niveaux. Rustique avec cuisine/séjour, 3 chambres, salle d'eau, w-c. Garage 3 voitures. Terrain 2 400 m² environ, arbres fruitiers et ornement. Possibilité céder 1 500 m² non attenants. Son propriétaire répond au ✆ 04.74.04.74.04 ou au ✆ 04.74.04.74.05 (fax).

Compréhension

1. Quel mot anglais qui veut dire **petit village** ressemble à **hameau?**

   hamlet

2. Combien de pièces y a-t-il au rez-de-chaussée? Nommez-les en mettant l'article.

   Il y a cinq pièces: une cuisine, une grande salle, un bureau, une salle à manger et un salon.

3. Combien de pièces y a-t-il dans la maison secondaire? Nommez-les en mettant l'article.

   Il y a quatre pièces: une cuisine / salle de séjour et trois chambres.

4. Donnez un exemple d'**arbre fruitier.**

   (Sample answer) un pommier

5. Quel mot anglais ressemble à **pilier?**

   pillar

Qu'est-ce que vous en pensez?

1. D'après les cheminées, à quelles époques est-il *possible* que la maison ait été construite?

   pendant la Renaissance ou le XVIIIè siècle

2. Si une **chambre mansardée** est au grenier, quel est un vieux synonyme de **grenier?**

   une mansarde

URB
p. 90

146
Unité 8
Activités pour tous Reading

Discovering French, Nouveau! Rouge

Discovering FRENCH
Nouveau!
ROUGE

C

*Les Propriétés
du Sud-Ouest...*

En Poitou, la ville à la campagne

Autoroute A10 Paris/Bordeaux, proximité sortie A10, Paris à 3 h de route et 1 h 20 TGV. Poitiers-Buxerolles. Environment calme. Dans parc de plus 2 000 m² superbement arboré et fleuri, découpage en parcelles possible. Belles prestations. 200 m² habitables. Rez-de-jardin : entrée, salon, bureau/bibliothèque, grande salle à manger donnant sur véranda 25 m² et terrasse 60 m², cuisine aménagée, cellier, rangements, chambre 25 m², salle de bains, w-c séparés. Etage : grand palier donnant sur terrasse 60 m², salle de bains/w-c, 3 chambres. Grenier 1/2 étage : salle d'eau/w-c. Centre-ville 3 mn, tous commerces. 426.857 €. Son propriétaire répond au ✆ 05.49.05.49.05.

Compréhension

1. Quel nom est à la racine de l'adjectif **arboré**? Donnez un équivalent d'**arboré**.

   arbre   *boisé*

2. Combien d'étages y a-t-il?

   Il y a deux étages et demi.

3. Combien de pièces y a-t-il au **rez-de-jardin**? Nommez-les en mettant l'article.

   Il y a cinq pièces: un salon, une bibliothèque, une salle à manger, une cuisine et une chambre.

4. Pourquoi dit-on **rez-de-jardin**, ici, et non pas **rez-de-chaussée**?

   On dit rez-de-jardin parce qu'il y a un jardin au lieu d'une rue.

5. Quel mot anglais ressemble à **cellier**? Par conséquent, donnez-en un équivalent approximatif.

   cellar   *une cave*

6. Que veut dire **tous commerces**? Pourquoi le titre **la ville à la campagne**?

   Il y a des commerces en ville.   *La propriété est à la campagne avec les avantages*

                                            de la ville.

Qu'est-ce que vous en pensez?

1. Que veut dire **rangements** dans le texte? (S'agit-il d'une pièce de la maison?)

   Rangements veut dire storage room.

2. Donnez un synonyme de **palier** en anglais.

   hallway

URB
p. 91

Discovering French, Nouveau! Rouge

Unité 8
Activités pour tous Reading

147

Nom _____

Classe _____ Date _____

Discovering
FRENCH
Nouveau!

ROUGE

INTERLUDE CULTUREL 8 Les Antilles
francophones, pages 334–343

Materials Checklist
❏ **Student Text**
❏ **Video** 8, *Vignette culturelle*

Steps to Follow
❏ Read *Un peu d'histoire* and *La malédiction caraïbe* in the text (pp. 334–335). When did the first French colonists arrive in the Antilles? When was slavery abolished in the French Antilles? Which two islands remain French departments? What is the name of the volcano on Martinique?
❏ Read *Deux Martiniquais célèbres* and *Documents: Pour saluer le Tiers-Monde* in the text (pp. 336–337). How old was Joséphine de Beauharnais when she married Napoléon Bonaparte? Where did Aimé Césaire complete his university studies?
❏ Read *Haïti*, *Documents: Pour Haïti*, and *En Haïli, l'art, c'est la vie* in the text (pp. 338–341). When did Haïti become independent? What training distinguishes Haitian artists from American or European artists?
❏ Read *Documents: Rue Cases-nègres* in the text (p. 342–343). Who is José? Who is M'man Tine? How does M'man Tine's dream true?
❏ Watch **Video** 8, *Vignette culturelle*. Pause and replay if necessary.

If You Don't Understand . . .
❏ Watch the **Video** or **DVD** in a quiet place. Try to stay focused. If you get lost, stop the **Video** or **DVD**. Replay it and find your place.
❏ Read the title of the text and try to guess what it is about.
❏ Look at the illustrations for clues to help you understand the text.
❏ Skim each text first to get a general sense of what it is about.
❏ During your second reading of each text, look for the main idea in each paragraph. Try to guess the meaning of the words you don't know from the context.
❏ When you have read each text a third time, summarize it in your own words.
❏ Write down any questions so that you can ask your partner or your teacher later.

Self Check
Répondez aux questions suivantes.

1. Quand est-ce que l'esclavage a été aboli aux Antilles?
2. Comment s'appelle le poète qui a écrit le poème, «Pour saluer le Tiers-monde»?
3. Comment s'appelle le héros de l'indépendance haïtienne?
4. Que signifie «haïti» en langue arawak?
5. Quels sont les sujets préférés des peintres haïtiens?

Answers

1. L'esclavage a été aboli en 1848.   2. Le poète qui a écrit «Pour saluer le Tiers-monde» s'appelle Aimé Césaire.   3. Le héros de l'indépendance haïtienne s'appelle Toussaint Louverture.   4. En langue arawak, «haïti» signifie «pays des montagnes».   5. Les sujets préférés des peintres haïtiens sont les scènes de la vie quotidienne, la ville, la campagne, les sujets religieux, ou des scènes historiques.

Nom _____

Classe _____ Date _____

Discovering
FRENCH
Nouveau!

ROUGE

Unité 8 Resources   Video Activities

UNITÉ 8   En ville

Vidéo-Drame: Un rendez-vous en ville

Activité 1. Anticipe un peu!

Avant la vidéo

Dans cet épisode, Mélanie parle avec son copain Guillaume. Il veut aller au cinéma avec elle. Lis les phrases de leur conversation et mets-les dans le bon ordre. Écris les phrases dans les bulles qui suivent.

Bon, d'accord, on va se retrouver chez toi.
Je suis libre. J'ai bien envie d'aller au cinéma!
Où est-ce qu'on donne rendez-vous?
Eh bien, on peut se retrouver chez moi.
Qu'est-ce que vous faites samedi prochain?
Bonne idée! Il y a un excellent film à l'Utopia.

Guillaume: **Mélanie:**

Activité 2. Vérifie!

Est-ce que tu as bien imaginé la réaction de Mélanie? Fais des corrections à l'Activité 1 en regardant la vidéo.

Discovering
FRENCH
Nouveau!

R O U G E

Nom _____

Classe _____ Date _____ _____

Activité 3. Qu'est-ce qui se passe d'abord?

En regardant la vidéo

Qu'est-ce qui se passe dans cet épisode? En regardant la vidéo, mets les activités ci-dessous dans le bon ordre.

_____ a. Guillaume demande ce que Mélanie et Nicolas font samedi soir.

_____ b. Nicolas voit Mélanie et Guillaume au café.

_____ c. Guillaume trouve Mélanie et Nicolas devant la librairie.

_____ d. Nicolas et Guillaume se présentent.

_____ e. Nicolas et Mélanie cherchent l'immeuble de Guillaume.

_____ f. Guillaume dit à Mélanie et Nicolas où il habite.

Activité 4. C'est Mélanie, Nicolas ou Guillaume?

En regardant la vidéo

Est-ce que c'est Mélanie, Nicolas ou Guillaume qui dit chacune des phrases suivantes? Écris le nom du personnage qui dit chaque phrase.

1. «Je suis un copain de Mélanie.»

   C'est _____.

2. «Moi aussi, je suis libre. Est-ce que je peux venir avec vous?»

   C'est _____.

3. «Pas question!»

   C'est _____.

4. «Eh bien, on peut se retrouver chez moi.»

   C'est _____.

5. «Oui, c'est tout près. C'est à cinq minutes à pied.»

   C'est _____.

6. «Oh . . . zut . . . non . . . j'ai oublié mon carnet d'adresses.»

   C'est _____.

7. «Il n'y a pas de Dubois là-bas.»

   C'est _____.

8. «Et ta sœur? Elle ne vient pas avec nous?»

   C'est _____.

Activité 5. Vrai ou faux?

En regardant la vidéo

Lis les phrases ci-dessous. Puis, indique si chaque phrase est vraie ou fausse. Corrige les phrases fausses.

_____ 1. Mélanie connaît Guillaume depuis trois ans.

_____

_____

_____ 2. Mélanie invite Nicolas à venir au cinéma avec Guillaume et elle.

_____

_____

_____ 3. Mélanie, Nicolas et Guillaume décident de se retrouver au cinéma.

_____

_____

_____ 4. Guillaume a une sœur.

_____

_____

_____ 5. La sœur de Guillaume a quinze ans.

_____

_____

_____ 6. Guillaume habite dans le centre-ville.

_____

_____

_____ 7. Guillaume habite dans une maison individuelle.

_____

_____

_____ 8. Guillaume habite près du cinéma.

_____

_____

EXPRESSION POUR LA CONVERSATION: Pas question!

Quand Nicolas demande s'il peut aller au cinéma avec Guillaume et Mélanie, Mélanie répond «Pas question!»

Question: Qu'est-ce que **«Pas question!»** veut dire en anglais ?

Réponse: _____

Nom _____

Classe _____ Date _____

Activité 6. Pas question!

Après la vidéo

Est-ce que tu as déjà dit «**Pas question!**» à quelqu'un? Pense à trois situations dans lesquelles tu as dit «**Pas question!**» (ou imagine les situations). Écris le nom de la personne avec qui tu parlais, ce qu'il/elle t'a demandé et ta réponse «**Pas question!**»

Pas question!

Pas question!

Pas question!

Activité 7. Chez moi

Après la vidéo

Un copain/une copine vient chez toi pour la première fois. Écris un email à ton copain/ta copine pour expliquer où tu habites. Donne une bonne description de la maison/de l'immeuble. Explique ce qu'on trouve près de chez toi. Fais attention d'être très précise! Tu veux que ton copain/ta copine arrive facilement chez toi!

Activité 8. Un rendez-vous en ville

Après la vidéo

Travaille avec deux camarades de classe.

Prépare et présente la situation ci-dessous. Utilise les «**Phrases utiles**».

Personnages: trois copains/copines

Lieu: en ville

Situation: Tes copains/copines et toi, vous voulez faire quelque chose en ville. Discutez de ce que vous voulez faire et quand et où vous vous donnez rendez-vous, à quelle heure, etc.

Nom _____

Classe _____ Date _____

Discovering
FRENCH
Nouveau!
R O U G E

Vignette culturelle: Pour Haïti

Activité 1. Tes connaissances

Avant la vidéo

a. Qu'est-ce que tu connais au sujet des îles Caraïbes?

b. Comment est-ce que tu imagines la vie aux Caraïbes?

Activité 2. Qui sont ces personnes?

Avant la vidéo

Lis *l'Interlude culturel* aux pages 334–343 de ton livre et complète chaque phrase avec le nom de la personne qui convient.

1. Ils étaient les premiers habitants des Antilles. _____

2. Il a découvert l'île de la Guadeloupe au XVe siècle. _____

3. Il a causé une insurrection à Saint-Domingue en rétablissant l'esclavage.
_____

4. Ancien esclave, il est devenu général et a contribué à l'indépendance de Saint-Domingue.
_____

5. Née à la Martinique, elle est devenue impératrice après son second mariage.
_____

6. Il est devenu Président de la République en 1990, mais il a dû s'exiler aux États-Unis jusqu'en 1994. _____

Activité 3. À la Martinique

Avant la vidéo

Lis *l'Interlude culturel* aux pages 334–343 de ton livre et réponds aux questions ci-dessous avec une courte phrase en français.

1. Comment s'appelait la capitale de la Martinique en 1900?
_____

2. Pourquoi l'appelait-on aussi «Paris des Antilles»?
_____

3. La situation de la ville était dangereuse. Pourquoi?
_____

4. Selon la légende, quelle était la malédiction donnée aux Français par le dernier chef caraïbe?
_____

5. Qu'est-ce qui s'est passé le 8 mai 1902?
_____

Nom _____

Classe _____ Date _____

Activité 4. Les Antilles: vrai ou faux?

Avant la vidéo

Lis *l'Interlude culturel* aux pages 334–343 de ton livre et décide si les phrases ci-dessous sont vraies ou fausses. Donne une courte explication en français.

_____ 1. Les colons français ont été les premiers colonistes des îles.

_____

_____ 2. L'art haïtien est un art académique très sophistiqué.

_____

_____ 3. Les esclaves Africains se sont révoltés et Saint-Domingue est devenue indépendante au début du XIXe siècle.

_____

_____ 4. Les fondateurs du mouvement «la négritude» sont tous nés à Paris.

_____

_____ 5. Il n'y a pas de cinéaste en Martinique.

_____

Activité 5. Haïti: Journal d'un animal marin

Après la vidéo

Écoute le poème dans la vidéo. Puis écris une liste des mots du poème qui décrivent un isle typique.

_____

_____

_____

_____

UNITÉ 8 En ville

Vidéo-drame:
Un rendez-vous en ville

Counter: 59:09–1:03:33

Mélanie a un nouveau copain. Il s'appelle Guillaume Dubois. Aujourd'hui, Mélanie et Guillaume prennent un pot dans un café quand Nicolas arrive.

NICOLAS: Salut, Mélanie.

MÉLANIE: Et ben, qu'est-ce que tu fais là?

NICOLAS: Tu vois, je me promène.

GUILLAUME: Bonjour. Je m'appelle Guillaume Dubois. Je suis un copain de Mélanie.

NICOLAS: Eh bien, moi, je m'appelle Nicolas. Je suis son petit frère.

GUILLAUME: Eh bien, assieds-toi. Qu'est-ce que vous faites samedi prochain?

MÉLANIE: Je suis libre. J'ai bien envie d'aller au cinéma!

GUILLAUME: Bonne idée! Il y a un excellent film à l'Utopia.

NICOLAS: Moi aussi, je suis libre. Est-ce que je peux venir avec vous?

MÉLANIE: Pas question!

GUILLAUME: Mais si, il peut venir.

MÉLANIE: Bon, bon . . . Où est-ce qu'on se donne rendez-vous?

GUILLAUME: Eh bien, on peut se retrouver chez moi. Vous ferez la connaissance de ma petite soeur. Elle est très drôle . . .

NICOLAS: Elle est mignonne?

GUILLAUME: Oui, oui, elle est très mignonne.

MÉLANIE: Bon, d'accord. On va se retrouver chez toi. Où est-ce que tu habites?

GUILLAUME: J'habite dans le centre-ville. . . . 125 rue du Docteur Roux.

MÉLANIE: C'est facile à trouver?

GUILLAUME: Oui, c'est à côté d'une librairie.

NICOLAS: C'est une maison individuelle?

GUILLAUME: Non, c'est un immeuble.

MÉLANIE: Et est-ce que c'est près du cinéma?

GUILLAUME: Oui, c'est tout près. C'est à cinq minutes à pied!

MÉLANIE: Alors, c'est d'accord! On se retrouve chez toi samedi après-midi.

Nous sommes samedi. Mélanie et Nicolas vont chez Guillaume avant d'aller au cinéma.

MÉLANIE: Voilà la librairie.

NICOLAS: Tu as l'adresse de Guillaume?

MÉLANIE: Oh . . . zut . . . non . . . j'ai oublié mon carnet d'adresses. Attends . . . je me souviens . . . Guillaume a dit qu'il habitait à côté de la librairie.

NICOLAS: Mais non, pas à côté . . . Il a dit en face de la librairie . . . Il n'y a pas de Dubois là bas.

MÉLANIE: Tu vois, je te l'ai dit. C'est à côté de la librairie.

GUILLAUME: Coucou, me voilà! . . . Vous me cherchez?

MÉLANIE: Eh bien, oui, mais où est-ce que tu habites?

GUILLAUME: J'habite là-haut . . . Je vous ai vus . . . Alors, je suis descendu.

NICOLAS: Et ta soeur? Elle ne vient pas avec nous?

GUILLAUME: Non, elle dort.

NICOLAS: Elle dort? Mais quel âge elle a, ta soeur?

GUILLAUME: Elle a trois ans et demi.

GUILLAUME: Allez, dépêchons-nous! Nous sommes en retard . . .

Vignette culturelle: Pour Haïti

Pluie de la patrie, tombe, tombe
   avec force
Sur mon coeur qui brûle
Jette ta bonne eau fraîche
Sur mon souvenir en feu!

HAÏTI

Il y a des centaines d'années
Que j'écris ce nom sur du sable
Et la mer toujours l'efface
Et la douleur toujours l'efface
Et chaque matin de nouveau
Je l'écris sur le sable millénaire
   de ma patience.

HAÏTI

Les années passent
Avec leur grand silence de mer
Dans mes veines il y a encore du courage
Et de la beauté pour des millier d'années
Mais le corps dépend de n'importe quel
   petit accident
Et l'esprit n'a pas l'éternité!

HAÏTI

Toi et moi nous nous regardons
À travers la vitre infinie
Et dans mes yeux pleure
Un seul désir:
Sentir encore ta pluie
Sur ma soif de toujours
Sur ma peine de toujours!

René Depestre, *Journal d'un animal marin* (Paris, Seghers, 1964)

Nom _____

Classe _____ Date _____

Discovering
FRENCH
Nouveau!

ROUGE

Unité 8 Resources   Unit Test

UNITÉ 8   Contrôle de l'Unité 8

À L'ÉCOUTE (20 points)

A. Un rendez-vous cultivé! (10 points; 2 points per item)

Olivier téléphone à sa copine, mais elle n'est pas chez elle. Donc, il lui laisse un message sur son répondeur. Écoutez bien le message, qui sera répété. Ensuite, vous entendrez cinq phrases. Déterminez si elles sont vraies ou fausses et encerclez la bonne réponse. Chaque phrase sera répétée.

1. a. vrai   b. faux
2. a. vrai   b. faux
3. a. vrai   b. faux
4. a. vrai   b. faux
5. a. vrai   b. faux

B. Le logement (10 points; 2 points per item)

Éric Nguyen vit à Paris. Ici, il nous parle de son logement. Écoutez-le et ensuite choisissez la meilleure continuation des phrases qui suivent. Vous allez entendre l'histoire deux fois.

1. Éric est né . . .
    a. à Paris.
    b. à Lyon.
    c. au Viêt-Nam.

2. Il habite . . . , rue de la République.
    a. 175
    b. 165
    c. 615

3. Son immeuble est . . .
    a. dans la banlieue.
    b. dans le centre-ville.
    c. loin du métro.

4. Un des inconvénients de son immeuble, c'est que (qu') . . .
    a. c'est difficile de trouver des copains.
    b. tous ses voisins sont étrangers.
    c. il y a beaucoup de monde.

5. Un des avantages de son appartement, c'est qu' . . .
    a. il est assez grand.
    b. il est propre.
    c. il est tout près du centre-ville.

Nom _____

Classe _____ Date _____

Discovering FRENCH *Nouveau!*

ROUGE

À L'ÉCRIT (80 points)

C. Recommandations (10 points; 2 points per sentence)

Suggérez une activité logique aux personnes suivantes. Utilisez **si** + l'imparfait.

Modèle: Alain veut faire des achats.
      Si on allait au centre commercial?

1. Martine a soif.

_____

2. Thierry voudrait sortir avec ses amis.

_____

3. Mireille aimerait faire un tour dans le parc.

_____

4. Jean-Claude n'a pas vu de match de foot depuis longtemps.

_____

5. Juliette veut voir l'exposition d'art impressionniste.

_____

D. Pourquoi? (10 points; 2 points per sentence)

Expliquez pourquoi ces personnes ont fait les choses suivantes. Utilisez **parce que** et le plus-que-parfait du verbe à L'AFFIRMATIF ou au NÉGATIF selon le cas.

Modèle: Je suis rentrée tard. (sortir avec mes amis)
      Je suis rentrée tard parce que j'étais sortie avec mes amis.

1. Cécile avait mal à l'estomac. (manger de la cuisine épicée)

_____

2. M. Fernaud est resté au bureau. (finir son travail)

_____

3. Nous avons raté notre avion. (arriver à l'aéroport à l'heure)

_____

4. Les jumeaux *(twins)* sont rentrés dans la maison. (oublier leurs livres)

_____

5. Julien n'avait pas ses chaussures noires. (aller chez le cordonnier)

_____

Discovering FRENCH Nouveau!

ROUGE

E. Dans mon quartier (10 points; 2 points per item)

Lisez les descriptions des endroits que vous trouverez dans un quartier. Ensuite écrivez la lettre de l'endroit.

_____ 1. Là on peut chercher un certificat de naissance, obtenir les papiers nécessaires pour se marier et même se marier.

_____ 2. Là il y a des bancs où on peut se reposer, on peut marcher sur la pelouse, on peut profiter des arbres.

_____ 3. Tous les jeunes gens se rencontrent ici pour prendre des leçons de musique, d'art, faire du théâtre, faire du sport et discuter.

_____ 4. Il y a beaucoup de livres ici! On peut étudier, lire, regarder les journaux ou même faire ses devoirs.

_____ 5. Il y a des boutiques, des cafés, des librairies, des kiosques. Il y a de tout!

a. la bibliothèque
b. la station-service
c. le centre commercial
d. le parc
e. la gendarmerie
f. le centre des loisirs
g. la mairie

F. Soyons poli(e)s et soyons apprécié(e)s!
(8 points; 2 points per sentence)

Kathy n'est jamais allée en France. Apprenez-lui la forme polie des phrases suivantes en utilisant le CONDITIONNEL.

1. Je veux un hamburger et des frites.

_____

2. Pouvez-vous m'indiquer où se trouve la gendarmerie?

_____

3. Avez-vous l'heure?

_____

4. Vous devez parler plus lentement si vous voulez que je vous comprenne.

_____

Discovering
FRENCH
Nouveau!
R O U G E

Unité 8 Resources

Unit Test

G. Problèmes et solutions (16 points; 2 points per item)

Vous discutez des problèmes et des solutions possibles avec des amis. Complétez les phrases suivantes avec la forme appropriée du verbe entre parenthèses.

1. (aller)　　　　　Si j'étais toi, je (j') _____ en vacances avec mes parents.

2. (trouver)　　　　Que feriez-vous si vous _____ la porte de votre appartement ouverte?

3. (accompagner)　Si Éric savait skier, il _____ ses amis à la montagne.

4. (avoir)　　　　　Si nous _____ de l'argent, nous aurions une grande maison à la campagne.

5. (voyager)　　　　Je _____ en métro si j'habitais Paris.

6. (faire)　　　　　Que _____-ils s'ils ne savaient pas jouer aux cartes?

7. (savoir)　　　　Martine ne _____ pas quoi faire si elle avait tant de temps libre.

8. (gagner)　　　　Que ferais-tu si tu _____ à la loterie?

H. Si les choses avaient été différentes . . . (10 points; 2 points per item)

Les personnes suivantes n'ont pas fait ce qu'elles auraient voulu faire. Complétez les phrases suivantes avec la forme appropriée du verbe indiqué entre parenthèses au conditionnel passé.

1. (aller)　　Nous _____ au cinéma, si nous avions trouvé un film intéressant.

2. (voir)　　Si tu ne m'avais pas invité, je n(e) _____ personne.

3. (écrire)　Si Camus n'était pas mort si jeune, il _____ plusieurs autres livres.

4. (devoir)　Si les Dubois n'avaient pas réservé une table, ils _____ attendre une heure.

5. (sortir)　Si Alain avait pu venir, nous _____ ensemble.

Nom _____

Classe _____ Date _____

Discovering
FRENCH
Nouveau!

ROUGE

Unité 8 Resources

Unit Test

I. Les voyages (16 points; 2 points per item)

Quel bruit! Tous vos amis parlent de vacances: les leurs, celles de leur famille, vacances passées ou prochaines vacances. Complétez les phrases suivantes avec la forme appropriée du verbe indiqué entre parenthèses.

1. (acheter)   Si tu vas à Paris, _____-moi une grande bouteille de parfum.

2. (avoir)   Si Anne _____ le temps, elle aurait visité la cathédrale à Reims.

3. (faire)   Que _____-vous s'il pleut?

4. (arriver)   Si Josée _____ à l'heure, ce sera Jean-Michel qui ira la chercher à l'aéroport.

5. (descendre)   Si Maman et Papa vont à Paris, ils _____ à l'hôtel Sofitel.

6. (envoyer)   Martin me(m') _____ une carte postale s'il va en Corse.

7. (savoir)   Si tu avais une carte, nous _____ où aller.

8. (dire)   Si Madeleine avait découvert un hôtel extraordinaire, elle me le(l') _____.

Nom _____

Classe _____ Date _____

Discovering
FRENCH
Nouveau!

ROUGE

Unité 8   Resources

Reading and Culture Quizzes and Tests

UNITÉ 8   INFO Magazine Quiz A

LES VILLES FRANÇAISES

VILLE OU CAMPAGNE?

INTERVIEW DANS LA RUE
Student Text, p. 303 (100 points: 20 points per item)

Complétez les phrases suivantes en entourant la bonne réponse.

1. La plupart des Français habitent
   a. dans des villes assez grandes
   b. à la campagne
   c. dans des petites villes

2. Les remparts des villes ont été construits
   a. vers 1800
   b. au Moyen Âge
   c. il y a 2 000 ans

3. Les banlieues industrielles se sont développées
   a. à la Renaissance
   b. au 19e siècle
   c. au Moyen Âge

4. Des millions d'habitants de la campagne sont venus dans les grandes villes après 1960
   a. pour vendre leurs produits
   b. pour voir le centre-ville
   c. pour trouver du travail

5. L'homme interviewé dans la rue vient à Clermont-Ferrand
   a. parce qu'il aime beaucoup cette ville
   b. parce que c'est trop calme chez lui
   c. parce qu'il y travaille

Nom _____

Classe _____ Date _____

Discovering
FRENCH
Nouveau!

ROUGE

Unité 8 Resources Reading and Culture Quizzes and Tests

UNITÉ 8   INFO Magazine Quiz B

LA GÉOGRAPHIE DES VILLES FRANÇAISES

LES «VILLES NOUVELLES»
Student Text, p. 310 (100 points: 20 points per item)

Complétez les phrases suivantes en entourant la bonne réponse.

1. La vieille ville
   a. c'est l'endroit le plus animé d'une ville
   b. c'est le quartier historique
   c. c'est la partie de la ville où les gens habitent

2. La mairie se trouve
   a. au centre-ville
   b. en banlieue
   c. dans un quartier résidentiel

3. Les grands ensembles, ce sont
   a. des immeubles luxueux
   b. des grands immeubles en banlieue
   c. des grands magasins au centre-ville

4. Les gens trouvent souvent que la vie en banlieue est
   a. monotone
   b. très dangereuse
   c. très animée

5. On a construit des villes nouvelles dans la région parisienne
   a. parce qu'il y a trop d'habitants à Paris
   b. parce que les gens préfèrent les villes nouvelles
   c. parce que la région est très jolie

Unité 8 Resources

Reading and Culture Quizzes and Tests

UNITÉ 8   INFO Magazine Quiz C

LE SPECTACLE EST DANS LA RUE

L'AUTOMATE
Student Text, p. 320 (100 points: 20 points per item)

Complétez les phrases suivantes en entourant la bonne réponse.

1. Les artistes des rues
   a. ne veulent pas d'argent
   b. veulent être payés en sandwichs
   c. passent le chapeau à la fin de leur spectacle

2. Aujourd'hui, la majorité des artistes des rues sont
   a. des musiciens
   b. des montreurs d'animaux
   c. des jongleurs

3. Les mimes
   a. chantent et dansent
   b. imitent les gestes d'un passant
   c. portent des costumes aux couleurs brillantes

4. Les automates
   a. ont un visage très expressif
   b. parlent tout le temps
   c. ont des gestes très mécaniques

5. L'automate interviewée à Strasbourg
   a. n'est pas contente de son travail
   b. aime travailler devant la cathédrale
   c. trouve son métier très facile

LECTURE QUIZ A: Les pêches

TROUVEZ L'INTRUS (100 points: 20 points per item)

Pour chaque question, il y a deux réponses correctes et <u>une réponse qui n'est pas correcte:</u>
<u>l'intrus</u>. Identifiez l'intrus dans chaque série de réponses et marquez la lettre correspondante
(a, b, ou c).

1. Vital Herbelot va à la réception
   a. avec sa femme
   b. parce que sa femme insiste
   c. parce que c'est important pour sa carrière

2. Quand il n'y a personne dans la salle,
   a. il prend vite deux pêches
   b. il les cache dans son chapeau
   c. il prend aussi du gâteau

3. Les pêches sont très spéciales parce que
   a. ce n'est pas la saison
   b. personne en France ne peut en acheter
   c. elles coûtent très cher

4. Son action est découverte parce que
   a. un détective l'a vu
   b. la fille du patron a besoin de son chapeau
   c. les pêches sont tombées du chapeau

5. Il quitte son travail à la banque parce que
   a. ses collègues se moquent de lui
   b. il ne gagne pas beaucoup d'argent
   c. son patron n'est pas content

Discovering
FRENCH
Nouveau!
ROUGE

LECTURE QUIZ B: Les pêches

LE CHOIX LOGIQUE (100 points: 10 points per item)

Lisez les phrases suivantes et choisissez la réponse logique.

1. Le dîner a été organisé par
   a. les parents de Mme Herbelot
   b. ls anciens élèves du lycée
   c. la soeur de Vital

2. Vital Herbelot était
   a. en bonne santé
   b. très élégant
   c. très malade

3. Quand Vital a mentionné son «histoire de pêches», son copain d'enfance a manifesté
   a. de la curiosité
   b. de la colère
   c. de la tristesse

4. Qui a insisté pour qu'il passe le bac?
   a. son père
   b. son professeur
   c. sa mère

5. À la banque Vital était
   a. paresseux
   b. très travailleur
   c. un employé médiocre

6. Pourquoi est-ce que Mme Herbelot n'est pas allée à la réception?
   a. elle n'aimait pas danser
   b. elle était malade
   c. elle détestait les banquiers

7. Qu'est-ce que Mme Herbelot a demandé à son mari?
   a. une bague
   b. un morceau de gâteau
   c. une pêche

8. Qui a pris le chapeau de Vital?
   a. son patron
   b. la fille du patron
   c. une domestique

9. Vital Herbelot
   a. a été mis en prison
   b. a quitté la ville est s'est installé à la campagne
   c. a continué à travailler en ville

10. Dans sa ferme il a planté
    a. un pommier
    b. un oranger
    c. un pêcher

Nom _____

Classe _____ Date _____

Discovering FRENCH *Nouveau!*

R O U G E

Unité 8 Resources

Reading and Culture Quizzes and Tests

INTERLUDE CULTUREL 8 QUIZ A:
Les Antilles francophones

A. Vrai/Faux
(25 points: 5 points per item)

Répondez aux questions suivantes en entourant la bonne réponse.

1. L'impératrice Joséphine, la femme de Napoléon Bonaparte, est née en Martinique.
   a. vrai
   b. faux

2. Napoléon Bonaparte a aboli l'esclavage à Saint-Domingue.
   a. vrai
   b. faux

3. L'île de la Tortue est célèbre pour ses plages.
   a. vrai
   b. faux

4. Toussaint Louverture a été président de Haïti.
   a. vrai
   b. faux

5. Jean-Bertrand Aristide a été élu démocratiquement.
   a. vrai
   b. faux

B. Questions à choix multiple
(75 points: 5 points per item)

Complétez les phrases suivantes en entourant la bonne réponse.

6. Les premiers colons français sont arrivés aux Antilles
   a. au 17e siècle
   b. entre 1800 et 1860
   c. vers 1900

7. Laquelle de ces îles n'est pas française?
   a. la Martinique
   b. la Guadeloupe
   c. Haïti

8. La montagne Pelée se trouve
   a. à la Martinique
   b. en Haïti
   c. à la Guadeloupe

9. Le mouvement de la négritude est né
   a. à la Guadeloupe
   b. à Paris
   c. au Sénégal

10. Dans la langue arawak, le mot «Haïti» veut dire
   a. grande île
   b. pays de montagnes
   c. montagne de feu

Nom _____

Classe _____ Date _____

Unité 8   Resources

Reading and Culture Quizzes and Tests

Discovering
FRENCH
Nouveau!

ROUGE

11. À l'époque de Toussaint Louverture, il y avait à Saint-Domingue
    a. autant de Français que d'Africains
    b. beaucoup plus de Français que d'Africains
    c. beaucoup plus d'Africains que de Français

12. Toussaint Louverture a aidé le gouverneur français de Haïti à combattre
    a. les Anglais
    b. les Américains
    c. les Espagnols

13. Quand il est mort, Toussaint Louverture était prisonnier
    a. des Anglais
    b. des Espagnols
    c. des Français

14. Dans le poème «Pour Haïti», le poète exprime
    a. sa nostalgie pour son pays
    b. sa colère contre son pays
    c. son indifférence envers son pays

15. Qu'est-ce qui caractérise le style des artistes haïtiens?
    a. un dessin compliqué
    b. des couleurs brillantes
    c. des formes abstraites

16. Les tableaux des artistes haïtiens représentent le plus souvent
    a. des scènes de la Bible
    b. des scènes de la vie quotidienne
    c. des scènes de l'histoire de France

17. Le personnage principal du film «Rue Cases-nègres» est
    a. un jeune garçon
    b. une petite fille
    c. un vieil homme

18. L'histoire du film se passe
    a. en Haïti
    b. à la Guadeloupe
    c. à la Martinique

19. Dans ce film, qu'est-ce qu'on cultive dans les champs?
    a. du coton
    b. de la canne à sucre
    c. du café

20. À la fin du film, José
    a. peut continuer ses études
    b. est forcé d'arrêter ses études
    c. devient très riche

Nom _____

Classe _____ Date _____

**Discovering
FRENCH**
Nouveau!
R O U G E

Unité 8 Resources

Reading and Culture Quizzes and Tests

INTERLUDE CULTUREL 8 QUIZ B:
Les Antilles francophones

A. Le choix logique (50 points: 5 points per item)

Lisez les phrases suivantes et choisissez la
réponse logique.

1. Ce qui s'appelait Hispaniola à l'époque
de Cristophe Colomb est maintenant
   a. l'île d'Haïti
   b. l'île de la Tortue et l'île de Saint-
Domingue
   c. la Martinique et la Guadeloupe

2. La Révolution française de 1789 a
   a. aboli l'esclavage
   b. encouragé l'esclavage
   c. établi l'esclavage

3. Qui a réinstauré l'esclavage?
   a. Marie-Antoinette
   b. Louis XIII
   c. Napoléon Bonaparte

4. En quelle année Haïti est-elle devenue
indépendante?
   a. en 1960
   b. en 1804
   c. en 1848

5. En 1902,
   a. Saint-Domingue est devenue un pays
indépendant et a pris le nom d'Haïti
   b. les premiers colons sont arrivés à la
Martinique et à la Guadeloupe
   c. la montagne Pelée a explosé

6. Aujourd'hui, les Français appellent les
îles au large de Cuba
   a. les Antilles
   b. la République haïtienne
   c. Hispaniola

7. L'île qui n'est pas un département
français est
   a. la Martinique
   b. la Jamaïque
   c. la Guadeloupe

8. Lequel de ses produits n'est pas typique
de la Martinique?
   a. le celéri
   b. le sucre
   c. le rhum

9. Aristide a été élu démocratiquement
Président de la République haïtienne en
1990. Quelques mois plus tard
   a. il a été obligé de s'exiler aux États-
Unis
   b. il a été condamné à mort
   c. il s'est marié avec une femme
Américaine

10. Quelle ville a été surnommée le «Paris
des Antilles»?
   a. Saint-Pierre
   b. Fort-de-France
   c. Port-au-Prince

Nom _____

Classe _____ Date _____

Discovering
FRENCH
Nouveau!
R O U G E

B. Vrai/Faux (20 points: 4 points per item)

Répondez aux questions suivantes en entourant la bonne réponse.

1. Depuis l'époque de Christophe Colomb jusqu'au début du 19e siècle,   *vrai*   *faux*
   Haïti s'est appelé Saint-Dominigue.

2. Joséphine, femme de Bonaparte, est née dans une plantation   *vrai*   *faux*
   à la Martinique.

3. La «Négritude» est un mouvement né à Fort-de-France.   *vrai*   *faux*

4. C'est Léopold Senghor qui a défini la notion de négritude.   *vrai*   *faux*

5. Aimé Césaire est un grand écrivain de la Martinique.   *vrai*   *faux*

C. La bonne réponse (30 points: 6 points per question)

Répondez aux questions suivantes avec des phrases complètes.

1. Qui étaient les premiers habitants de la Martinique?

   _____

   _____

   _____

2. Nommez deux Martiniquais(es) célèbres:

   _____

   _____

3. La négritude est un mouvement...

   _____

   _____

   _____

   _____

   _____

Nom _____

Classe _____ Date _____

Discovering
FRENCH
Nouveau!
ROUGE

Unité 8 Resources   Reading and Culture Quizzes and Tests

4. Qui est J.M. Obin?

_____

_____

_____

_____

5. Donnez l'identité de deux des trois individus suivants: Toussaint Louverture, Léon Damas, De Witt Peters

_____

_____

_____

_____

_____

_____

_____

_____

_____

_____

_____

_____

_____

_____

_____

_____

_____

_____

FILM QUIZ: Rue Cases-nègres

LE CHOIX LOGIQUE (100 points: 10 points per item)

Lisez les phrases suivantes et choisissez la réponse logique.

1. L'histoire se passe
   a. il y a 60 ans
   b. de nos jours
   c. il y a 20 ans

2. Qui est M'man-Tine?
   a. la mère de José
   b. la soeur de José
   c. la grand-mère de José

3. Quel diplôme reçoit José?
   a. le bac
   b. le brevet
   c. le certificat d'études

4. *Rue Cases-nègres* se passe
   a. en Haïti
   b. à la Martinique
   c. en Afrique

5. Dans le film *Rue Cases-nègres*, tout le monde travaille
   a. dans une usine
   b. dans les champs de canne à sucre
   c. dans la construction

6. De quoi parle le vieux Médouze?
   a. de son voyage en France
   b. de la sagesse africaine
   c. de ses problèmes de santé

7. Quel travail fait M'man-Tine pour aider José?
   a. elle est chef dans un restaurant
   b. elle travaille dans une boutique
   c. elle est lingère

8. José est
   a. riche
   b. intelligent et travailleur
   c. créatif

9. José obtient
   a. un trophée
   b. une décoration
   c. une bourse

10. Une bourse c'est
    a. de l'argent pour les études
    b. un diplôme
    c. un titre

Nom _____

Classe _____ Date _____

Discovering
FRENCH
Nouveau!

ROUGE

Unité 8 Resources

Reading and Culture Quizzes and Tests

CONTRÔLE DE L'INTERLUDE CULTUREL 8

À L'ÉCOUTE

A. Une ville au pied d'un volcan . . . (20 points total: 5 points per answer)

Écoutez la narration imaginaire du seul survivant de la «malédection caraïbe». Ensuite répondez aux questions qui suivent. Vous entendrez la narration deux fois.

1. Pourquoi est-ce que le narrateur a survécu à l'explosion?

   _____

   _____

2. Qu'est-ce que le narrateur a vu après l'explosion?

   _____

   _____

   _____

3. Qui avait prédit cette catastrophe naturelle?

   _____

   _____

   _____

4. Selon le narrateur, qu'est-ce qui serait arrivé, si les Français n'avaient pas essayé de faire des Caraïbes leurs esclaves?

   _____

   _____

   _____

Discovering
FRENCH
Nouveau!

ROUGE

À L'ÉCRIT

B. Les Antilles francophones, des dates importantes . . .
(10 points total: 1 point per answer)

Écrivez la lettre qui correspond à l'événement (colonne de droite) après la date à gauche.

_____ 1. 1492   a. Les Africains sont victorieux contre les Français et Saint-Domingue devient Haïti, un pays indépendant.

_____ 2. 1635   b. L'esclavage est aboli à la suite de la Révolution française.

_____ 3. 1697   c. Jean-Bertrand Aristide est élu président de Haïti.

_____ 4. 1791   d. Christophe Colomb «découvre» Hispaniola, la Guadeloupe et la Martinique.

_____ 5. 1794   e. Napoléon rétablit l'esclavage et provoque une nouvelle insurrection en Haïti.

_____ 6. 1802   f. 30.000 personnes sont mortes à la suite d'une éruption volcanique à la Martinique.

_____ 7. 1804   g. Les premiers colons français s'installent à la Martinique et à la Guadeloupe et font venir des Africains pour travailler comme esclaves.

_____ 8. 1848   h. Les Africains de Saint-Domingue se révoltent contre les Français pour la première fois.

_____ 9. 1902   i. Saint-Domingue devient officiellement une colonie française.

_____ 10. 1990   j. L'esclavage est aboli d'une façon définitive dans les colonies françaises et les Martiniquais et les Guadéloupéens deviennent des citoyens français à part entière.

C. Qui est-ce? Qu'est-ce que c'est? (25 points total: 5 points per answer)

Lisez les questions suivantes et répondez-y avec des phrases complètes.

1. C'est qui, Aimé Césaire?

   _____

   _____

   _____

2. Qu'est-ce que c'est que «la négritude»?

   _____

   _____

   _____

3. C'était qui, Toussaint Louverture?

   _____

   _____

   _____

4. Pourquoi est-ce que c'est un personnage historique important?

   _____

   _____

   _____

   _____

5. Décrivez René Depestre et sa poésie. Comment sont-ils?

   _____

   _____

   _____

Nom _____

Classe _____ Date _____

D. L'art haïtien (20 points total: 5 points per answer)

Répondez aux questions suivantes avec des phrases complètes.

1. Comment est-ce qu'on sait que l'art est très populaire en Haïti?

   _____

   _____

2. Comment s'appelle le style des artistes haïtiens? Décrivez ce style.

   _____

   _____

   _____

3. Est-ce que les artistes haïtiens ont généralement étudié dans une école d'art spécialisée?
   Comment est-ce qu'ils ont appris à peindre?

   _____

   _____

4. Décrivez un tableau haïtien.

   _____

   _____

   _____

   _____

E. Conversations antillaises (10 points total: 2 points per answer)

Lisez les quatre petites conversations imaginaires. C'est à vous de décider qui parlent parmi les couples suivants.

a. De Witt Peters et Hector Hyppolite

b. José et Médouze

c. M'man-Tine et José

d. Toussaint Louverture et Napoléon

e. René Depestre et Aimé Césaire

_____ 1. —Écoutez, nous nous sommes battus à vos côtés contre les Anglais! C'est à cause de nous qu'on a pu chasser les Anglais de cette île!
—Vous êtes devenus trop forts et trop indépendants. D'ailleurs vous ne serez jamais victorieux contre l'armée française.

_____ 2. —Même si on est pauvre, tu iras à l'école! C'est le seul espoir.
—Je t'aime. Je n'ai qu'une envie, c'est d'apprendre. Tu seras fière de moi; je le promets!

_____ 3. —À quoi penses-tu?
—Je pense à l'Afrique, pays de nos ancêtres. J'en rêve. Je veux y retourner un jour.

_____ 4. —J'apprécie beaucoup ce tableau. Explique-le-moi.
—Eh bien, voilà, c'est Agoué, loa de la mer.
—Qu'est-ce que ça veut dire «loa»?
—C'est un esprit bénéfique de notre religion, le vaudou.

_____ 5. —Tu as de la chance de pouvoir vivre dans ton pays.
—Oui, c'est vrai. Mais toi, l'exilé, tu célèbres le tien dans un très beau poème.

F. Maintenant, c'est vous qui posez les questions! (15 points total: 5 points per answer)

Vous êtes critique de cinéma et on vous demande de faire un article sur Euzhan Palcy, la cinéaste martiniquaise qui a réalisé «Rue Cases-nègres». Préparez trois questions intelligentes pour cette réalisatrice jeune et engagée.

1. _____
_____ ?

2. _____
_____ ?

3. _____
_____ ?

Nom _____

Classe _____ Date _____

UNITÉ 8   Listening Comprehension Performance Test

A. SCÈNES

Scène 1 (20 points: 4 points per item)

Vous allez entendre cinq phrases. Écoutez bien chaque phrase et déterminez à quelle image elle se réfère. Ensuite entourez la lettre qui correspond à l'image. Chaque phrase sera répétée. D'abord, écoutez le modèle.

Modèle ▶ a   b   c   d   e   f

1. a   b   c   d   e   f

2. a   b   c   d   e   f

3. a   b   c   d   e   f

4. a   b   c   d   e   f

5. a   b   c   d   e   f

Nom _____

Classe _____ Date _____

Discovering
FRENCH
Nouveau!

R O U G E

Unité 8 Resources   Listening Comprehension Performance Test

Scène 2 (20 points: 4 points per item)

Vous allez entendre cinq phrases. Écoutez bien chaque phrase et déterminez à quelle image elle se réfère. Ensuite entourez la lettre qui correspond à l'image. Chaque phrase sera répétée. Il n'y a pas de modèle.

6. a   b   c   d   e
7. a   b   c   d   e
8. a   b   c   d   e
9. a   b   c   d   e
10. a   b   c   d   e

Nom _____

Classe _____ Date _____

Discovering
FRENCH
Nouveau!
R O U G E

B. CONTEXTES

Contexte 1 (30 points: 5 points per item)

Vous allez entendre trois conversations incomplètes. Pour chaque conversation, lisez les suites possibles. Ensuite, entourez la lettre qui correspond à la meilleure. Puis écrivez le nom de l'endroit où ces jeunes gens vont se retrouver. Chaque conversation sera répétée. Commençons. Écoutez.

Conversation 1

11. Emmanuel et Olivier se fixent un rendez-vous.
    Olivier répond:
    a. À sept heures et quart.
    b. À huit heures moins le quart.
    c. À huit heures et demie.

12. Où est-ce qu'ils vont se retrouver?
    a. À l'entrée du stade
    b. Au cinéma
    c. Au café

Conversation 2

13. Armand et Corinne discutent de leurs projets pour vendredi soir.
    Corinne répond:
    a. Je préfère vraiment aller au musée.
    b. Non, merci, je n'aime pas tellement aller au cinéma.
    c. D'accord.

14. Où vont Armand et Corinne?
    a. Au cinéma
    b. Au café
    c. Au lycée

Conversation 3

15. Guy et Cyrille parlent au téléphone.
    Guy répond:
    a. Vers dix heures.
    b. À minuit.
    c. Vers quatre heures.

16. Où est-ce qu'ils vont se retrouver?
    a. Au cinéma
    b. Devant le restaurant
    c. À la poste

Contexte 2 (30 points: 5 points per item)

Vous allez entendre trois conversations incomplètes. Pour chaque conversation, lisez les suites proposées. Ensuite, entourez la lettre qui correspond à la réponse appropriée. Puis écrivez le genre de résidence dont on parle. Chaque conversation sera répétée. Commençons. Écoutez.

Conversation 1

17. Mme Janet visite le nouvel appartement de Mme Legrand.
    Mme Legrand répond:
    a. Non. Je suis très heureuse ici.
    b. Oui. Je n'aime pas du tout mon nouvel appartement.
    c. Non. J'aime habiter dans une maison individuelle.

18. De quel genre de résidence s'agit-il?
    a. Une petite villa
    b. Une tour
    c. Un immeuble commercial

Conversation 2

19. Luc et Fatima parlent de l'appartement de Luc.
    Luc répond:
    a. C'est vrai, le loyer est vraiment modéré.
    b. Mais je peux y aller en bus.
    c. C'est près du centre-ville.

20. De quel genre de résidence s'agit-il?
    a. Un HLM
    b. Une maison individuelle
    c. Une tour de luxe

Conversation 3

21. Jeanine et Charles parlent du nouveau logement de Charles.
    Charles répond:
    a. Non, je préfère être coincé dans un petit appartement.
    b. Oui, je préfère une tour de luxe.
    c. Oui, on y est mieux que dans un immeuble.

22. De quel genre de résidence s'agit-il?
    a. Un HLM
    b. Une maison individuelle
    c. Un immeuble ancien

Discovering
FRENCH
Nouveau!

ROUGE

UNITÉ 8 Speaking Performance Test

CONVERSATION A — UNITÉ 8

Rendez-vous

L'ami de votre correspondant français arrive dans votre région et vous téléphone. Essayez de fixer un rendez-vous avec lui. Indiquez l'heure, la destination et l'activité que vous proposez. Votre professeur jouera le rôle de l'ami.

CONVERSATION B — UNITÉ 8

En ville

Un(e) camarade de classe vous téléphone pour vous demander les devoirs de la classe de français. Suggérez-lui un rendez-vous en ville. Indiquez l'heure et l'endroit. Votre professeur jouera le rôle de votre camarade.

CONVERSATION C — UNITÉ 8

On arrive

Le cousin canadien (la cousine canadienne) d'un(e) camarade de classe est venu(e) lui rendre visite et votre camarade vous demande de vous occuper de lui(elle) un soir. Téléphonez-lui et suggérez un rendez-vous en ville. Indiquez l'heure, l'endroit et l'activité que vous proposez. Votre professeur jouera le rôle du(de la) cousin(e).

CONVERSATION D   UNITÉ 8

Où habites-tu?

Dites où vous habitez. Donnez votre adresse, indiquez
dans quel quartier et dans quel genre de résidence vous
habitez, et si c'est près de votre école.

CONVERSATION E   UNITÉ 8

Renseignements

Un(e) camarade de classe va venir vous voir. Dites-lui où
vous habitez. Donnez-lui votre adresse, dites-lui dans quel
quartier et dans quel genre de résidence vous habitez.
Indiquez-lui aussi si c'est près de votre école et comment
on peut y aller.

CONVERSATION F   UNITÉ 8

Dans mon quartier . . .

Décrivez votre quartier. Dites où il se trouve, le genre de
résidence que vous habitez, et ce qu'il y a près de chez
vous (genre de bâtiments, magasins, services).

Nom _____

Classe _____ Date _____

UNITÉ 8 Writing Performance Test

1. À Paris (10 points: 2 per sentence)

Votre oncle, un riche homme d'affaires, est propriétaire d'un appartement à Paris. Il vous invite à passer quelques jours avec lui. Il vous écrit pour vous dire où est son appartement et vous parler du quartier. Écrivez cinq phrases.

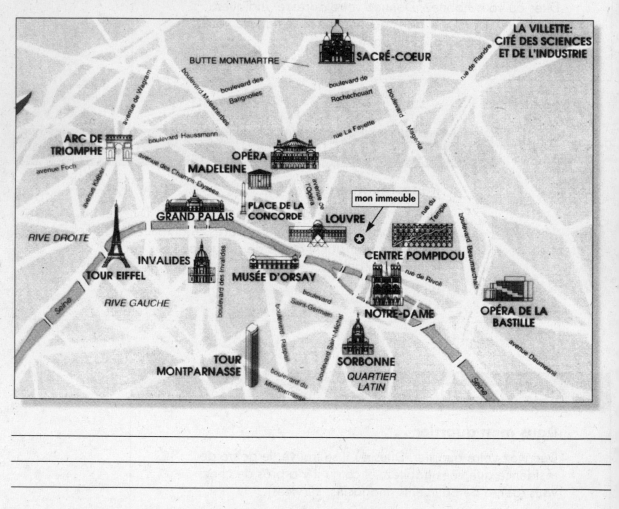

_____

_____

_____

_____

_____

_____

_____

_____

_____

2. Persuasion (20 points: 4 per sentence)

Votre copain de Montréal parlait de venir chez vous, mais maintenant il hésite: le billet d'avion coûte cher, est-ce que la visite en vaut vraiment la peine *(is worth it)*? Vous lui écrivez pour le persuader. Écrivez cinq phrases. Utilisez **si**, si possible avec des temps différents, dans au moins trois phrases.

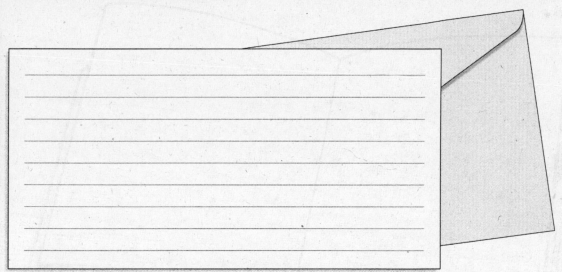

Chère Martine,

Il avait dit que (qu') . . . _____

3. Il a menti!
(15 points: 3 per sentence)

Vous écrivez une lettre tragique à votre amie Martine. Vous venez de rompre *(break up)* avec votre copain: il promettait beaucoup de choses, mais ne faisait rien . . . Écrivez cinq phrases.

Nom _____

Classe _____ Date _____

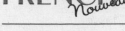

R O U G E

4. Trop tard (25 points: 5 per sentence)

Hier, vous deviez retrouver des copains dans un café pour aller au cinéma. Mais tout a mal marché! Vous êtes parti(e) en retard, et après . . . Vous regrettez ce qui s'est passé, et vous écrivez dans votre journal. Écrivez cinq phrases. Utilisez **si** et le conditionnel passé.

Nom _____

Classe _____ Date _____

Discovering
FRENCH
Nouveau!

ROUGE

Unité 8 Resources

Writing Performance Test

5. Composition libre (30 points: 5 per sentence)

Choisissez un des sujets suivants et écrivez un paragraphe de six phrases.

A. Vous vous intéressez à la politique, et votre ambition n'a pas de limites! Dans votre journal, vous écrivez ce que vous feriez si vous étiez président.

B. Vous habitez en ville (à la campagne), mais votre rêve c'est d'habiter à la campagne (en ville). Vous écrivez à un ami pour lui dire pourquoi, et ce que vous y feriez.

C. Le 20e siècle, ce n'est pas mal, mais . . . Choisissez une époque historique qui vous intéresse, et décrivez comment vous auriez vécu (*lived*) à cette époque-là.

Sujet _____

UNITÉ 8   Multiple Choice Test Items

Partie 1

1. —On prend un pot?
   —Oui, allons _____.
   a. au café
   b. au cinéma
   c. au musée

2. Où est-ce qu'on se retrouve?
   a. À 9 heures.
   b. Devant le ciné.
   c. Samedi.

3. On se donne rendez-vous _____.
   a. quelqu'un
   b. quelque part
   c. à samedi

4. J'ai _____ la connaissance de la cousine de Sophie ce week-end.
   a. eu
   b. été
   c. fait

5. Marc a donné rendez-vous _____ Martine.
   a. de
   b. à
   c. avec

6. Si on se _____ rendez-vous devant le ciné?
   a. donnait
   b. donne
   c. donné

7. Ah, si j' _____ mille dollars . . .
   a. ai
   b. ai eu
   c. avais

8. Dis, Monique, si nous _____ un pot?
   a. prenons
   b. prenions
   c. avons pris

9. Dis Paul, si on _____ une exposition?
   a. verrait
   b. voyait
   c. a vu

10. L'année d'avant, mon frère _____ nos cousins en Italie.
    a. a visité
    b. visitait
    c. avait visité

Nom _____

Classe _____ Date _____

Discovering
FRENCH
Nouveau!
ROUGE

Unité 8 Resources   Multiple Choice Test Items

11. Le week-end dernier, j'_____ rencontré les copains au café.
    a. ai
    b. avais
    c. ais

12. Quand mon père est arrivé chez nous, nous _____ de manger.
    a. avions fini
    b. avons fini
    c. finissions

13. Thérèse _____ la connaissance de Martine l'année d'avant.
    a. a fait
    b. faisait
    c. avait fait

14. Quand j'ai téléphoné à Jean-Marc, il _____ sorti avec Thomas.
    a. a
    b. est
    c. était

15. J'ai eu une mauvaise note à l'examen parce que je ne (n') _____ pas étudié.
    a. ai
    b. suis
    c. avait

16. Les filles se sont _____ quand elles ont rendu visite à leurs copines.
    a. amusées
    b. amusé
    c. amusée

17. As-tu vu l'exposition l'été dernier? —Non. Je l'_____ avant.
    a. ai vu
    b. avais vu
    c. avais vue

18. Si j'avais un billet, je/j' _____ au match de football..
    a. vais
    b. irais
    c. allais

19. Nous nous étions _____.
    a. amusés
    b. amusé
    c. amuser

20. Quand nous sommes arrivés au stade, le match _____.
    a. avait commencé
    b. a commencé
    c. commençait

Nom _____

Classe _____ Date _____

Partie 2

1. On va _____ pour envoyer des lettres.
   a. à la poste
   b. au centre commercial
   c. à la mairie

2. Pour emprunter des livres, nous allons _____.
   a. au musée
   b. aux boutiques
   c. à la bibliothèque

3. Habites-tu près d'ici? —Non, c'est _____.
   a. tout près
   b. loin
   c. à cinq minutes à pied

4. Sophie n'habite pas en ville, mais elle n'habite pas très loin du centre-ville non plus.
   Elle habite dans une maison individuelle dans _____.
   a. un tour
   b. la banlieue
   c. un immeuble

5. On peut y aller à _____.
   a. bus
   b. taxi
   c. pied

6. Si j'étais riche, j'_____ une voiture de sport.
   a. achète
   b. achèterais
   c. achètais

7. Si nous visitions Paris, nous _____ la Tour Eiffel.
   a. verrons
   b. voyons
   c. verrions

8. Si j'habitais dans le centre-ville, je (j') _____ tous les jours au musée.
   a. allais
   b. irais
   c. vais

Nom _____

Classe _____ Date _____

Discovering
FRENCH
Nouveau!

ROUGE

Unité 8 Resources   Multiple Choice Test Items

9. Si je te prête dix dollars, tu _____ assez pour acheter un jean.
   a. avais
   b. auras
   c. aurais

10. Si je pouvais, je _____ te rendre visite.
    a. viendrais
    b. viendrai
    c. venais

11. Susanne a écrit qu'elle _____ lundi.
    a. arrivait
    b. arrivera
    c. arriverait

12. Ma mère a dit que je ne _____ pas sortir avec des copains samedi prochain.
    a. pouvais
    b. pourrais
    c. peut

13. Sandrine et Patrick ont dit qu'ils _____ voir le film avec nous.
    a. allaient
    b. iront
    c. iraient

14. Il a écrit qu'il me _____ rendez-vous à midi.
    a. donnerait
    b. donne
    c. donnera

15. Maintenant tu dis que tu _____ avec moi.
    a. sors
    b. sortiras
    c. sortirais

16. Si vous aviez le temps, est-ce que vous _____ un pot avec moi?
    a. prenez
    b. preniez
    c. prendriez

17. Des vacances idéales, nous les _____ au bord de la mer.
    a. passerions
    b. passerons
    c. passions

Nom _____

Classe _____ Date _____

Discovering
FRENCH
Nouveau!

ROUGE

18. Thomas écrit qu'il _____ demain.
    a. arrivera
    b. arriverait
    c. arrive

19. Hélène avait dit qu'elle _____ voir l'exposition avec nous.
    a. ira
    b. va
    c. irait

20. Ils avaient écrit qu'ils nous _____ des photos.
    a. apporterons
    b. apporteraient
    c. apporteront

Discovering FRENCH *Nouveau!*

ROUGE

LISTENING PERFORMANCE TEST: ANSWER SHEET

UNITÉ ____, Partie ____

1. a. ____
   b. ____
   c. ____
   d. ____
   e. ____
   f. ____
   g. ____

6. a. ____
   b. ____
   c. ____
   d. ____
   e. ____
   f. ____
   g. ____

11. a. ____
    b. ____
    c. ____
    d. ____
    e. ____
    f. ____
    g. ____

16. a. ____
    b. ____
    c. ____
    d. ____
    e. ____
    f. ____
    g. ____

21. a. ____
    b. ____
    c. ____
    d. ____
    e. ____
    f. ____
    g. ____

26. a. ____
    b. ____
    c. ____
    d. ____
    e. ____
    f. ____
    g. ____

2. a. ____
   b. ____
   c. ____
   d. ____
   e. ____
   f. ____
   g. ____

7. a. ____
   b. ____
   c. ____
   d. ____
   e. ____
   f. ____
   g. ____

12. a. ____
    b. ____
    c. ____
    d. ____
    e. ____
    f. ____
    g. ____

17. a. ____
    b. ____
    c. ____
    d. ____
    e. ____
    f. ____
    g. ____

22. a. ____
    b. ____
    c. ____
    d. ____
    e. ____
    f. ____
    g. ____

27. a. ____
    b. ____
    c. ____
    d. ____
    e. ____
    f. ____
    g. ____

3. a. ____
   b. ____
   c. ____
   d. ____
   e. ____
   f. ____
   g. ____

8. a. ____
   b. ____
   c. ____
   d. ____
   e. ____
   f. ____
   g. ____

13. a. ____
    b. ____
    c. ____
    d. ____
    e. ____
    f. ____
    g. ____

18. a. ____
    b. ____
    c. ____
    d. ____
    e. ____
    f. ____
    g. ____

23. a. ____
    b. ____
    c. ____
    d. ____
    e. ____
    f. ____
    g. ____

28. a. ____
    b. ____
    c. ____
    d. ____
    e. ____
    f. ____
    g. ____

4. a. ____
   b. ____
   c. ____
   d. ____
   e. ____
   f. ____
   g. ____

9. a. ____
   b. ____
   c. ____
   d. ____
   e. ____
   f. ____
   g. ____

14. a. ____
    b. ____
    c. ____
    d. ____
    e. ____
    f. ____
    g. ____

19. a. ____
    b. ____
    c. ____
    d. ____
    e. ____
    f. ____
    g. ____

24. a. ____
    b. ____
    c. ____
    d. ____
    e. ____
    f. ____
    g. ____

29. a. ____
    b. ____
    c. ____
    d. ____
    e. ____
    f. ____
    g. ____

5. a. ____
   b. ____
   c. ____
   d. ____
   e. ____
   f. ____
   g. ____

10. a. ____
    b. ____
    c. ____
    d. ____
    e. ____
    f. ____
    g. ____

15. a. ____
    b. ____
    c. ____
    d. ____
    e. ____
    f. ____
    g. ____

20. a. ____
    b. ____
    c. ____
    d. ____
    e. ____
    f. ____
    g. ____

25. a. ____
    b. ____
    c. ____
    d. ____
    e. ____
    f. ____
    g. ____

30. a. ____
    b. ____
    c. ____
    d. ____
    e. ____
    f. ____
    g. ____

Discovering
FRENCH
Nouveau!

ROUGE

LISTENING PERFORMANCE TEST: MACHINE-SCORE ANSWER SHEET

UNITÉ ___, Partie ___

Instructions

Please use a No. 2 pencil only. Make heavy black marks that fill the circle completely. Do not make any stray marks on this answer sheet. Make all erasures cleanly.

	A B C D E F G		A B C D E F G		A B C D E F G
1	① ② ③ ④ ⑤ ⑥ ⑦	13	① ② ③ ④ ⑤ ⑥ ⑦	25	① ② ③ ④ ⑤ ⑥ ⑦
2	① ② ③ ④ ⑤ ⑥ ⑦	14	① ② ③ ④ ⑤ ⑥ ⑦	26	① ② ③ ④ ⑤ ⑥ ⑦
3	① ② ③ ④ ⑤ ⑥ ⑦	15	① ② ③ ④ ⑤ ⑥ ⑦	27	① ② ③ ④ ⑤ ⑥ ⑦
4	① ② ③ ④ ⑤ ⑥ ⑦	16	① ② ③ ④ ⑤ ⑥ ⑦	28	① ② ③ ④ ⑤ ⑥ ⑦
5	① ② ③ ④ ⑤ ⑥ ⑦	17	① ② ③ ④ ⑤ ⑥ ⑦	29	① ② ③ ④ ⑤ ⑥ ⑦
6	① ② ③ ④ ⑤ ⑥ ⑦	18	① ② ③ ④ ⑤ ⑥ ⑦	30	① ② ③ ④ ⑤ ⑥ ⑦
7	① ② ③ ④ ⑤ ⑥ ⑦	19	① ② ③ ④ ⑤ ⑥ ⑦	31	① ② ③ ④ ⑤ ⑥ ⑦
8	① ② ③ ④ ⑤ ⑥ ⑦	20	① ② ③ ④ ⑤ ⑥ ⑦	32	① ② ③ ④ ⑤ ⑥ ⑦
9	① ② ③ ④ ⑤ ⑥ ⑦	21	① ② ③ ④ ⑤ ⑥ ⑦	33	① ② ③ ④ ⑤ ⑥ ⑦
10	① ② ③ ④ ⑤ ⑥ ⑦	22	① ② ③ ④ ⑤ ⑥ ⑦	34	① ② ③ ④ ⑤ ⑥ ⑦
11	① ② ③ ④ ⑤ ⑥ ⑦	23	① ② ③ ④ ⑤ ⑥ ⑦	35	① ② ③ ④ ⑤ ⑥ ⑦
12	① ② ③ ④ ⑤ ⑥ ⑦	24	① ② ③ ④ ⑤ ⑥ ⑦	36	① ② ③ ④ ⑤ ⑥ ⑦

Discovering FRENCH Nouveau!

ROUGE

SPEAKING PERFORMANCE TEST: ANSWER SHEET

UNITÉ ___, Partie ___

Scoring Sheet

Nom _____ Classe _____ Date _____

Conversation: A B C D E F G H I J K L (circle one)

	A	B	C	D	F	O
Question 1	5	4	3	2	1	0
Question 2	5	4	3	2	1	0
Question 3	5	4	3	2	1	0
Question 4	5	4	3	2	1	0
Question 5	5	4	3	2	1	0

Total Score: ___ + ___ + ___ + ___ + ___ + ___

Comments:

SCORING CRITERIA

A Responses are complete, comprehensible to a native speaker, and quite accurate.

B Responses are quite complete, comprehensible to a native speaker, with some mistakes.

C Responses are fairly complete, difficult to understand for native speakers unfamiliar with English, with many grammar mistakes.

D The responses are often incomplete and are frequently difficult to understand.

F A native speaker would understand fewer than half the responses.

O Did not respond.

URB p. 139

LESSON QUIZZES ANSWER SHEET

UNITÉ ___, Partie ___

1. a. _____
    b. _____
    c. _____
    d. _____
    e. _____
    f. _____
    g. _____

6. a. _____
    b. _____
    c. _____
    d. _____
    e. _____
    f. _____
    g. _____

11. a. _____
    b. _____
    c. _____
    d. _____
    e. _____
    f. _____
    g. _____

16. a. _____
    b. _____
    c. _____
    d. _____
    e. _____
    f. _____
    g. _____

21. a. _____
    b. _____
    c. _____
    d. _____
    e. _____
    f. _____
    g. _____

26. a. _____
    b. _____
    c. _____
    d. _____
    e. _____
    f. _____
    g. _____

31. a. _____
    b. _____
    c. _____
    d. _____
    e. _____
    f. _____
    g. _____

2. a. _____
    b. _____
    c. _____
    d. _____
    e. _____
    f. _____
    g. _____

7. a. _____
    b. _____
    c. _____
    d. _____
    e. _____
    f. _____
    g. _____

12. a. _____
    b. _____
    c. _____
    d. _____
    e. _____
    f. _____
    g. _____

17. a. _____
    b. _____
    c. _____
    d. _____
    e. _____
    f. _____
    g. _____

22. a. _____
    b. _____
    c. _____
    d. _____
    e. _____
    f. _____
    g. _____

27. a. _____
    b. _____
    c. _____
    d. _____
    e. _____
    f. _____
    g. _____

32. a. _____
    b. _____
    c. _____
    d. _____
    e. _____
    f. _____
    g. _____

3. a. _____
    b. _____
    c. _____
    d. _____
    e. _____
    f. _____
    g. _____

8. a. _____
    b. _____
    c. _____
    d. _____
    e. _____
    f. _____
    g. _____

13. a. _____
    b. _____
    c. _____
    d. _____
    e. _____
    f. _____
    g. _____

18. a. _____
    b. _____
    c. _____
    d. _____
    e. _____
    f. _____
    g. _____

23. a. _____
    b. _____
    c. _____
    d. _____
    e. _____
    f. _____
    g. _____

28. a. _____
    b. _____
    c. _____
    d. _____
    e. _____
    f. _____
    g. _____

33. a. _____
    b. _____
    c. _____
    d. _____
    e. _____
    f. _____
    g. _____

4. a. _____
    b. _____
    c. _____
    d. _____
    e. _____
    f. _____
    g. _____

9. a. _____
    b. _____
    c. _____
    d. _____
    e. _____
    f. _____
    g. _____

14. a. _____
    b. _____
    c. _____
    d. _____
    e. _____
    f. _____
    g. _____

19. a. _____
    b. _____
    c. _____
    d. _____
    e. _____
    f. _____
    g. _____

24. a. _____
    b. _____
    c. _____
    d. _____
    e. _____
    f. _____
    g. _____

29. a. _____
    b. _____
    c. _____
    d. _____
    e. _____
    f. _____
    g. _____

34. a. _____
    b. _____
    c. _____
    d. _____
    e. _____
    f. _____
    g. _____

5. a. _____
    b. _____
    c. _____
    d. _____
    e. _____
    f. _____
    g. _____

10. a. _____
    b. _____
    c. _____
    d. _____
    e. _____
    f. _____
    g. _____

15. a. _____
    b. _____
    c. _____
    d. _____
    e. _____
    f. _____
    g. _____

20. a. _____
    b. _____
    c. _____
    d. _____
    e. _____
    f. _____
    g. _____

25. a. _____
    b. _____
    c. _____
    d. _____
    e. _____
    f. _____
    g. _____

30. a. _____
    b. _____
    c. _____
    d. _____
    e. _____
    f. _____
    g. _____

35. a. _____
    b. _____
    c. _____
    d. _____
    e. _____
    f. _____
    g. _____

LESSON QUIZ: MACHINE-SCORE TEST SHEET

UNITÉ ____, Partie ____

Instructions

Please use a No. 2 pencil only. Make heavy black marks that fill the circle completely. Do not make any stray marks on this answer sheet. Make all erasures cleanly.

	A B C D E F G		A B C D E F G		A B C D E F G
1	① ② ③ ④ ⑤ ⑥ ⑦	13	① ② ③ ④ ⑤ ⑥ ⑦	25	① ② ③ ④ ⑤ ⑥ ⑦
2	① ② ③ ④ ⑤ ⑥ ⑦	14	① ② ③ ④ ⑤ ⑥ ⑦	26	① ② ③ ④ ⑤ ⑥ ⑦
3	① ② ③ ④ ⑤ ⑥ ⑦	15	① ② ③ ④ ⑤ ⑥ ⑦	27	① ② ③ ④ ⑤ ⑥ ⑦
4	① ② ③ ④ ⑤ ⑥ ⑦	16	① ② ③ ④ ⑤ ⑥ ⑦	28	① ② ③ ④ ⑤ ⑥ ⑦
5	① ② ③ ④ ⑤ ⑥ ⑦	17	① ② ③ ④ ⑤ ⑥ ⑦	29	① ② ③ ④ ⑤ ⑥ ⑦
6	① ② ③ ④ ⑤ ⑥ ⑦	18	① ② ③ ④ ⑤ ⑥ ⑦	30	① ② ③ ④ ⑤ ⑥ ⑦
7	① ② ③ ④ ⑤ ⑥ ⑦	19	① ② ③ ④ ⑤ ⑥ ⑦	31	① ② ③ ④ ⑤ ⑥ ⑦
8	① ② ③ ④ ⑤ ⑥ ⑦	20	① ② ③ ④ ⑤ ⑥ ⑦	32	① ② ③ ④ ⑤ ⑥ ⑦
9	① ② ③ ④ ⑤ ⑥ ⑦	21	① ② ③ ④ ⑤ ⑥ ⑦	33	① ② ③ ④ ⑤ ⑥ ⑦
10	① ② ③ ④ ⑤ ⑥ ⑦	22	① ② ③ ④ ⑤ ⑥ ⑦	34	① ② ③ ④ ⑤ ⑥ ⑦
11	① ② ③ ④ ⑤ ⑥ ⑦	23	① ② ③ ④ ⑤ ⑥ ⑦	35	① ② ③ ④ ⑤ ⑥ ⑦
12	① ② ③ ④ ⑤ ⑥ ⑦	24	① ② ③ ④ ⑤ ⑥ ⑦	36	① ② ③ ④ ⑤ ⑥ ⑦

ROUGE

LESSON QUIZZES: STUDENT PROGRESS CHART

Name _____ Class _____

Grades ☐ 1st quarter   ☐ 2nd quarter   ☐ 3rd quarter   ☐ 4th quarter

LESSON QUIZ SCORES **The maximum score for each Lesson Quiz is 100 points.**

LESSON QUIZ	1	2	3	4	5	6	7	8	9	10	11
Date											
Score											

LESSON QUIZ	12	13	14	15	16	17	18	19	20	21	22
Date											
Score											

LESSON QUIZ	23	24	25	26	27	28	29	30	31	32	33
Date											
Score											

LESSON QUIZ	34	35	36	37	38	39	40	41	42	43	44
Date											
Score											

Discovering FRENCH *Nouveau!*

ROUGE

READING AND CULTURE QUIZZES: MACHINE-SCORE ANSWER SHEET

UNITÉ ____ , Partie ____

Instructions

Please use a No. 2 pencil only. Make heavy black marks that fill the circle completely. Do not make any stray marks on this answer sheet. Make all erasures cleanly.

	A B C D E F G		A B C D E F G		A B C D E F G
1	① ② ③ ④ ⑤ ⑥ ⑦	13	① ② ③ ④ ⑤ ⑥ ⑦	25	① ② ③ ④ ⑤ ⑥ ⑦
2	① ② ③ ④ ⑤ ⑥ ⑦	14	① ② ③ ④ ⑤ ⑥ ⑦	26	① ② ③ ④ ⑤ ⑥ ⑦
3	① ② ③ ④ ⑤ ⑥ ⑦	15	① ② ③ ④ ⑤ ⑥ ⑦	27	① ② ③ ④ ⑤ ⑥ ⑦
4	① ② ③ ④ ⑤ ⑥ ⑦	16	① ② ③ ④ ⑤ ⑥ ⑦	28	① ② ③ ④ ⑤ ⑥ ⑦
5	① ② ③ ④ ⑤ ⑥ ⑦	17	① ② ③ ④ ⑤ ⑥ ⑦	29	① ② ③ ④ ⑤ ⑥ ⑦
6	① ② ③ ④ ⑤ ⑥ ⑦	18	① ② ③ ④ ⑤ ⑥ ⑦	30	① ② ③ ④ ⑤ ⑥ ⑦
7	① ② ③ ④ ⑤ ⑥ ⑦	19	① ② ③ ④ ⑤ ⑥ ⑦	31	① ② ③ ④ ⑤ ⑥ ⑦
8	① ② ③ ④ ⑤ ⑥ ⑦	20	① ② ③ ④ ⑤ ⑥ ⑦	32	① ② ③ ④ ⑤ ⑥ ⑦
9	① ② ③ ④ ⑤ ⑥ ⑦	21	① ② ③ ④ ⑤ ⑥ ⑦	33	① ② ③ ④ ⑤ ⑥ ⑦
10	① ② ③ ④ ⑤ ⑥ ⑦	22	① ② ③ ④ ⑤ ⑥ ⑦	34	① ② ③ ④ ⑤ ⑥ ⑦
11	① ② ③ ④ ⑤ ⑥ ⑦	23	① ② ③ ④ ⑤ ⑥ ⑦	35	① ② ③ ④ ⑤ ⑥ ⑦
12	① ② ③ ④ ⑤ ⑥ ⑦	24	① ② ③ ④ ⑤ ⑥ ⑦	36	① ② ③ ④ ⑤ ⑥ ⑦

URB
p. 143

Contrôle de l'Unité 8

À L'ÉCOUTE

CD 15, Track 23

A. Un rendez-vous cultivé!

Olivier téléphone à sa copine, mais elle n'est pas chez elle. Donc, il lui laisse un message sur son répondeur. Écoutez bien le message, qui sera répété. Ensuite, vous entendrez cinq phrases. Déterminez si elles sont vraies ou fausses et encerclez la bonne réponse. Chaque phrase sera répétée.

D'abord, écoutez la message sur le répondeur:

Salut! C'est Olivier. Est-ce que tu es libre dimanche après-midi? C'est le dernier jour de l'exposition Gauguin au Musée des Beaux-Arts. On m'a dit que c'était super! Veux-tu y aller avec moi? Si tu es d'accord pour y aller, rappelle-moi et laisse-moi un message. J'ai oublié de te dire que le musée ouvre ses portes à midi le dimanche. À dimanche j'espère! Je t'embrasse.

Écoutez à nouveau le message.

Maintenant, écoutez bien chaque phrase et marquez si elle est vrai ou fausse. Vous allez entendre chaque phrase deux fois. Commençons.

1. Dimanche, c'est le premier jour de l'exposition Gauguin.
2. Olivier veut aller au Ciné des Beaux-Arts.
3. Olivier a entendu de bonnes choses concernant l'exposition.
4. Olivier n'a pas dit où ils devraient se retrouver.
5. Le musée ouvre à 10 heures.

CD 15, Track 24

B. Le logement

Éric Nguyen vit à Paris. Ici, il nous parle de son logement. Écoutez-le et ensuite choisissez la meilleure continuation des phrases qui suivent. Vous allez entendre l'histoire deux fois. Écoutez:

Salut! Je m'appelle Éric. Je suis né en France à Lyon, mais mes parents viennent du Viêt-Nam. Nous habitons une HLM en banlieue, 175, rue de la République. Je n'aime pas beaucoup cet immeuble; il y a trop de monde, mais il y a quand même certains avantages. Comme on est nombreux et on est tous étrangers, j'ai des copains du monde entier! Notre appartement est assez petit, mais c'est propre et il y a une station de métro tout près, alors je peux aller en ville quand je veux.

Écoutez à nouveau l'histoire et ensuite répondez aux questions.

Contrôle de l'Interlude culturel 8

À L'ÉCOUTE

CD 15, Track 25

A. Dictée

Écoutez la narration imaginaire du seul survivant de la «malediction caraïbe». Écoutez bien et répondez aux questions qui suivent. Faites attention aux accents! La narration sera répétée.

Commençons.

Il faut le dire, j'ai de la chance. J'ai été libéré de prison ce matin! C'est le 8 mai de l'année 1902 et le soleil se lève sur ma ville natale, Saint-Pierre, la capitale de la Martinique. Toute à l'heure, je dormais tranquillement dans ma cellule quand soudain j'ai entendu une énorme explosion. La force de l'explosion a fait sauter la porte de la prison, mais je n'ai pas été blessé. Ce sont les murs de la prison qui m'ont protégé. Après avoir quitté ma cellule, ce que j'ai vu était horrible! Toute la ville était totalement dévastée: la cathédrale, le théâtre, le jardin, les monuments et les maisons. Ce n'était pas tout. J'ai cherché partout, mais je n'ai trouvé personne de vivant. Quelques jours plus tard, je me suis rappellé de ce que le dernier chef caraïbe avait dit, «Aujourd'hui, vous êtes plus forts, mais demain la montagne de feu va nous venger.» Il avait raison, la montagne de feu était un volcan! Si les Français n'avaient pas essayé de faire des Caraïbes leurs esclaves, il n'y aurait pas eu de malédiction et tous les colons ne seraient pas morts.

Listening Comprehension Performance Test

A. SCÈNES

CD 15, Track 26

Scène 1

Vous allez entendre cinq phrases. Écoutez bien chaque phrase et déterminez à quelle image elle se réfère. Ensuite entourez la lettre qui correspond à l'image. Chaque phrase sera répétée. D'abord, écoutez le modèle.

Modèle ▶ Vous voulez voir l'exposition de peinture italienne?
Avez-vous bien entouré la lettre **d**? C'est la bonne réponse. Commençons.

1. Ça te dit d'aller voir un film espagnol?
2. Amélie, je voudrais que tu fasses la connaissance de mon ami Pierre.
3. Si on se donnait rendez-vous devant la poste?
4. Faisons un tour en ville, d'accord?
5. Si on allait prendre un pot?

CD 15, Track 27

Scène 2

Vous allez entendre cinq phrases. Écoutez bien chaque phrase et déterminez à quelle image elle se réfère. Ensuite entourez la lettre qui correspond à l'image. Chaque phrase sera répétée. Il n'y a pas de modèle.

6. Je préfère habiter une maison individuelle. On a plus de place et on a un petit jardin dont on peut s'occuper.
7. Ce grand immeuble n'est peut-être pas magnifique, mais l'avantage des HLM, c'est d'offrir des appartements à loyer modéré à ceux qui ne sont pas riches.
8. J'habite dans un petit immeuble. J'aime bien le jardin!
9. Il y a beaucoup d'avantages à habiter dans une tour élégante comme celle-ci. Au dix-huitième étage, où se trouve mon appartement, on a vraiment une belle vue!
10. L'immeuble où j'habite n'est pas moderne, mais mon appartement est bien équipé.

B. CONTEXTES

Contexte 1

CD 15, Track 28

Vous allez entendre trois conversations incomplètes. Pour chaque conversation, lisez les suites possibles. Ensuite, entourez la lettre qui correspond à la meilleure. Puis écrivez le nom de l'endroit où ces jeunes gens vont se retrouver. Chaque conversation sera répétée. Commençons. Écoutez.

Conversation 1

EMMANUEL: Tiens, Olivier! L'équipe de Nantes va jouer contre les Parisiens ce soir au stade; tu veux y aller?
OLIVIER: Je ne sais pas. Tu sais, je travaille cet après-midi. C'est à quelle heure?
EMMANUEL: À sept heures et demie.
OLIVIER: Dans ce cas-là, je peux y aller.
EMMANUEL: Entendu, alors. Rendez-vous au stade municipal. À quelle heure?

Écoutez à nouveau et vérifiez votre réponse.

CD 15, Track 29

Conversation 2

ARMAND: Ça te dit de sortir demain soir?
CORINNE: Pourquoi pas? Qu'est-ce que tu proposes?
ARMAND: On pourrait aller voir l'exposition d'art indien à la salle Martin . . .
CORINNE: Si tu veux, mais . . .
ARMAND: Ou alors on peut aller au cinéma.
CORINNE: Ça c'est une bonne idée! J'ai vraiment envie de voir le nouveau film de Depardieu.
ARMAND: Je passerai chez toi à six heures et demie?

Écoutez à nouveau et vérifiez votre réponse.

CD 15, Track 30

Conversation 3

GUY: Dis donc, tu veux aller faire un tour en ville avec moi, demain après-midi?
CYRILLE: Oui, je veux bien. Qu'est-ce qu'on fera?
GUY: Je ne sais pas vraiment . . On pourra se promener.
CYRILLE: Et puis?
GUY: Après, on pourrait prendre un pot, dîner en ville, et peut-être aller voir un film.
CYRILLE: Entendu, on se retrouve à la poste. À quelle heure?

Écoutez à nouveau et vérifiez votre réponse.

Contexte 2

CD 15, Track 31

Vous allez entendre trois conversations incomplètes. Pour chaque conversation, lisez les suites proposées. Ensuite, entourez la lettre qui correspond à la réponse appropriée. Puis écrivez le genre de résidence dont on parle. Chaque conversation sera répétée. Commençons. Écoutez.

Conversation 1

MME JANET: Alors, tu l'aimes bien, ton nouvel appartement?

MME LEGRAND: Oui, je l'adore! C'est merveilleux d'habiter au vingtième étage. Regarde la vue: on voit tout Paris!

MME JANET: Et les magasins ne sont pas loin?

MME LEGRAND: Ils sont à dix minutes à pied.

MME JANET: Et tu ne regrettes pas ton ancien appartement dans le centre-ville?

Écoutez à nouveau et vérifiez votre réponse.

CD 15, Track 32

Conversation 2

LUC: Tu sais, Fatima, j'aimerais changer d'appartement. . .

FATIMA: Pourquoi? Qu'est-ce qui ne va pas?

LUC: Tu vois, dans ces immeubles, les murs sont minces comme du papier. On entend la télé des voisins de droite et la radio de ceux de gauche!

FATIMA: Oui, mais tu ne paies vraiment pas cher ici . . .

Écoutez à nouveau et vérifiez votre réponse.

CD 15, Track 33

Conversation 3

JEANINE: Comme c'est chouette ici! Il y a combien de pièces?

CHARLES: Sept.

JEANINE: Et puis, vous avez un garage, un joli jardin, le quartier est calme . . .

CHARLES: C'est vrai que nous sommes bien ici!

JEANINE: Vous avez beaucoup plus d'espace que dans votre ancien appartement de la rue Lepic!

Écoutez à nouveau et vérifiez votre réponse.

UNITÉ 8 ANSWER KEY

Lesson Quizzes

Partie 1: Petit examen 1
(Version A)

(Vocabulaire: un rendez-vous en ville/La construction *si* + imparfait/Le plus-que-parfait)

A. Un rendez-vous.
1. c
2. d
3. e
4. a

B. La construction *si* + imparfait.
5. allait
6. faisais
7. prenait

C. Le plus-que-parfait.
8. était partie
9. avais voyagé
10. nous étions rencontré(e)s
11. étaient sorties
12. aviez vu

Partie 1: Petit examen 1
(Version B)

(Vocabulaire: un rendez-vous en ville/La construction *si* + imparfait/Le plus-que-parfait)

A. Un rendez-vous.
1. c
2. d
3. e
4. a

B. La construction *si* + imparfait.
5. a
6. a
7. b

C. Le plus-que-parfait.
8. a
9. a
10. b
11. b
12. b

Partie 2: Petit examen 2

(Vocabulaire: comment expliquer où on habite)

A. Dans mon quartier.

I.	II.
1. f	6. e
2. b	7. f
3. a	8. c
4. c	9. b
5. e	10. d

B. En ville.
11. f
12. a
13. c
14. d
15. e

Partie 2: Petit examen 3
(Version A)

(Révision: le conditionnel)

A. Les rêves.
1. voyagerais
2. achèterait
3. irions
4. seraient
5. verriez
6. appellerais
7. paierais

B. Soyez plus poli.
8. voudrait
9. Pourrions
10. devrais

Partie 2: Petit examen 3
(Version B)

(Révision: le conditionnel)

A. Les rêves.
1. a
2. a
3. b
4. b
5. a
6. a
7. b

B. Soyez plus poli.
8. a
9. a
10. b

Partie 3: Petit examen 4
(Version A)

(Le conditionnel passé/Résumé: l'usage des temps avec *si*)

A. Le conditionnel passé.
1. aurais pris
2. serions resté(e)s
3. auraient réussi
4. vous seriez amusé(e)(s)

B. Résumé: l'usage des temps avec *si*.
5. ira
6. irions
7. serais allé(e)
8. va
9. iraient
10. étiez allés

Partie 3: Petit examen 4
(Version B)

(Le conditionnel passé/Résumé: l'usage des temps avec *si*)

A. Le conditionnel passé.
1. a
2. b
3. b
4. a

B. Résumé: l'usage des temps avec *si*.
5. a
6. b
7. b
8. a
9. a
10. a

Video Activities

Vidéo-Drame

Activité 1. Anticipe un peu!
The order is:
Qu'est-ce que vous faites samedi prochain?
Je suis libre. J'ai bien envie d'aller au cinéma!
Bonne idée! Il y a un excellent film à l'Utopia.
Où est-ce qu'on donne rendez-vous?
Eh bien, on peut se retrouver chez moi.
Bon, d'accord, on va se retrouver chez toi.

Activité 2. Vérifie!
The correct speakers are:
[G] Qu'est-ce que vous faites samedi prochain?
[M] Je suis libre. J'ai bien envie d'aller au cinéma!
[G] Bonne idée! Il y a un excellent film à l'Utopia.
[M] Où est-ce qu'on donne rendez-vous?
[G] Eh bien, on peut se retrouver chez moi.
[M] Bon, d'accord, on va se retrouver chez toi.

Activité 3. Qu'est-ce qui se passe d'abord?
a. 3
b. 1
c. 6
d. 2
e. 5
f. 4

Activité 4. C'est Mélanie, Nicolas ou Guillaume?
1. C'est Guillaume.
2. C'est Nicolas.
3. C'est Mélanie.
4. C'est Guillaume.
5. C'est Guillaume.
6. C'est Mélanie.
7. C'est Nicolas.
8. C'est Nicolas.

Activité 5. Vrai ou faux?
1. faux; Guillaume est un nouveau copain de Mélanie.
2. faux; Mélanie n'invite pas Nicolas à venir au cinéma avec Guillaume et elle./Nicolas demande s'il peut aller au cinéma avec Mélanie et Guillaume.
3. faux; Mélanie, Nicolas et Guillaume décident de se retrouver chez Guillaume.
4. vrai
5. faux; La sœur de Guillaume a trois ans et demi.
6. vrai
7. faux; Guillaume habite dans un immeuble.
8. vrai

Expression pour la conversation:
Pas question!
Answer: No way!

Activité 6. Pas question!
Answers will vary.

Activité 7. Chez moi
Answers will vary.

Activité 8. Un rendez-vous en ville
Answers will vary.

Vignette culturelle

Activité 1. Tes connaissances
Answers will vary.

Activité 2. Qui sont ces personnes?
1. Les «Indiens» caraïbes
2. Christophe Colomb
3. Napoléon
4. Toussaint Louverture
5. Joséphine Tascher de la Pagerie
5. Jean-Bertrand Aristide

Unité 8 · Resources · Answer Key

Activité 3. À la Martinique

Answers will vary. Sample answers:

1. En 1900, Saint-Pierre était la capitale de la Martinique.
2. Parce que c'était une ville artistique et culturelle avec un théâtre.
3. Parce que la ville était située près d'un volcan.
4. «Aujourd'hui, vous êtes les plus forts, mais demain la montagne de feu va nous venger.»
5. Le volcan est entré en éruption et a détruit Saint-Pierre.

Activité 4. Les Antilles: vrai ou faux?

Answers will vary. Sample answers:

1. faux; Les premiers habitants des îles étaient caraïbes.
2. faux; C'est un art populaire, simple et de style naïf.
3. vrai; C'était en 1804.
4. faux; Césaire est martiniquais, Damas est guyanais et Senghor est sénégalais.
5. faux; La cinéaste martiniquaise Euzhan Palcy est célèbre pour son film «Rue Cases-Nègres».

Activité 5. Haïti: Journal d'un animal marin

Answers will vary.

Contrôle de l'Unité 8

À l'écoute

A. Un rendez-vous cultivé! (10 points; 2 points per item)
1. b
2. b
3. a
4. a
5. b

B. Le logement (10 points; 2 points per item)
1. b
2. a
3. a
4. c
5. b

À l'écrit

C. Recommandations (10 points; 2 points per sentence)
Sample answers:
1. Si on allait au café boire une limonade?
2. Si on allait en ville tous ensemble?
3. Si on allait au parc?
4. Si on allait au stade?
5. Si on allait au musée?

D. Pourquoi? (10 points; 2 points per sentence)
1. . . . parce qu'elle avait mangé de la cuisine épicée.
2. . . . parce qu'il n'avait pas fini son travail.
3. . . . parce que nous n'étions pas arrivés à l'aéroport à l'heure.
4. . . . parce qu'ils avaient oublié leurs livres.
5. . . . parce qu'il était allé chez le cordonnier.

E. Dans mon quartier (10 points; 2 points per item)
1. g
2. d
3. f
4. a
5. c

F. Soyons poli(e)s et soyons apprécié(e)s!
(8 points; 2 points per sentence)
1. Je voudrais un hamburger et des frites.
2. Pourriez-vous m'indiquer où se trouve la gendarmerie?
3. Auriez-vous l'heure?
4. Vous devriez parler plus lentement si vous voulez que je vous comprenne.

G. Problèmes et solutions (16 points; 2 points per item)
1. (j')irais
2. trouviez
3. accompagnerait
4. avions
5. voyagerais
6. feraient
7. saurait
8. gagnais

H. Si les choses avaient été différentes . . .
(10 points; 2 points per item)
1. serions allé(e)s
2. (n')aurais vu
3. aurait écrit
4. auraient dû
5. serions sortis

I. Les voyages (16 points; 2 points per item)
1. achète
2. avait eu
3. ferez
4. arrive
5. descendront
6. (m')enverra
7. saurions
8. (l')aurait dit

Reading and Culture Quizzes and Tests

INFO Magazine Quiz A

Les villes françaises
Ville ou campagne?
Interview dans la rue
Student Text, p. 303
(100 points: 20 points per item)
1. a
2. b
3. b
4. c
5. b

INFO Magazine Quiz B

La géographie des villes françaises
Les "villes nouvelles"
Student Text, p. 310
(100 points: 20 points per item)
1. b
2. a
3. b
4. a
5. a

INFO Magazine Quiz C

Le spectacle est dans la rue
L'automate
Student Text, p. 320
(100 points: 20 points per item)
1. c
2. a
3. b
4. c
5. b

Lecture Quiz A: Les pêches (100 points: 20 points per item)

Trouvez L'intrus
1. a
2. c
3. b
4. a
5. b

Lecture Quiz B: Les pêches

Le choix logique
(100 points: 10 points per item)
1. b   6. b
2. a   7. c
3. a   8. b
4. c   9. b
5. b   10. c

Interlude culturel 8 Quiz A: Les Antilles francophones

A. Vrai/Faux (25 points: 5 points per item)
1. a
2. b
3. b
4. b
5. a

B. Questions à choix multiple (75 points: 5 points per item)
6. a   14. a
7. c   15. b
8. a   16. b
9. b   17. a
10. b   18. c
11. c   19. b
12. a   20. a
13. c

Interlude culturel 8 Quiz B: Les Antilles francophones

A. Le choix logique
(50 points: 5 points per item)
1. b   6. a
2. a   7. b
3. c   8. a
4. b   9. a
5. c   10. a

B. Vrai/Faux
(20 points: 4 points per item)
1. Vrai
2. Vrai
3. Faux
4. Faux
5. Vrai

C. La bonne réponse
(30 points: 6 points per item)
1. À l'époque de Christophe Colomb, la Martinique était peuplée par des populations caraïbes. Le nom donné à ces populations par Christophe Colomb était les «Indiens». [p. 334]
2. Deux Martiniquais(es) célèbres sont l'impératrice Joséphine et Aimé Césaire. [p. 336]
3. La négritude est un mouvement littéraire, philosophique et politique, né à Paris dans les années 1930. Les fondateurs de ce mouvement, comprenant Aimé Césaire, Léopold Senghor, et Léon Damas, étaient des étudiants noirs, venus de différentes colonies françaises. En quête de leur identité, ces écrivains redécouvraient

Unité 8   Resources   Answer Key

leurs racines africaines qu'ils voulaient valoriser...Les Noirs ont leur personnalité, leur culture, leur système de valeurs, leur façon de percevoir et de comprendre l'univers. Ils doivent préserver et être fiers de cette identité spécifique liée à l'Afrique, terre de leurs ancêtres communs. [p. 336]

4. J.M. Obin est un peintre haïtien qui est spécialiste de scènes historiques. Un de ses tableaux, «La Bataille de Vertières», représente la dernière bataille de la guerre d'indépendance haïtienne qui a eu lieu le 13 novembre 1803 à Vertières. [p. 340]

5. Toussaint Louverture était un héros de l'indépendance haïtienne. Ancien esclave, il est devenu commandant de l'armée française, et puis vice-gouverneur de Saint-Domingue. La mort de Toussaint Louverture a encouragé la résistance des Noirs. Ceux-ci ont finalement battu l'armée française. Le premier janvier, 1804, Saint-Domingue est devenue une nation indépendante et a pris le nom d'Haïti. [p. 338] La négritude est un mouvement littéraire, philosophique et politique, né à Paris dans les années 1930. Les fondateurs de ce mouvement, y comprenant Léon Damas, étaient des étudiants noirs, venus de différentes colonies françaises. En quête de leur identité, ces écrivains redécouvraient leurs racines africaines qu'ils voulaient valoriser. [p. 336] C'est un Américain, De Witt Peters, qui a fait découvrir au monde les merveilles de l'art haïtien. Peters était venu en Haïti au début des années 1940 pour enseigner l'anglais . . . Avec l'aide des gouvernements haïtien et américain, il a ouvert un Centre d'Art où étaient exposées les oeuvres des meilleurs peintres haïtiens. [p. 340]

Film Quiz Rue Cases-nègres

Le choix logique
(100 points; 10 points per item)

1. a
2. c
3. c
4. b
5. b
6. b
7. c
8. b
9. c
10. a

Contrôle de l'Interlude Culturel 8

À l'écoute

A. Une ville au pied d'un volcan . . . (20 points total: 5 points per answer)
Answers may vary slightly.

1. Il a survécu parce qu'il était en prison . . . (et les murs de la prison l'ont protégé).
2. Après l'explosion, il a vu la ville de Saint-Pierre dévastée. (Students may give more details here.)
3. Le dernier chef caraïbe avait prédit cette catastrophe naturelle.
4. Selon le narrateur, si les Français n'avaient pas essayé de faire des esclaves des Caraïbes, il n'y aurait pas eu de malédiction (OU les colons français ne seraient pas morts).

À l'écrit

B. Les Antilles francophones, des dates importantes . . . (10 points total: 1 point per answer)

1. d
2. g
3. i
4. h
5. b
6. e
7. a
8. j
9. f
10. c

C. Qui est-ce? Qu'est-ce que c'est? (25 points total: 5 points per answer)
Answers may vary slightly.

1. C'est un homme politique et un poète. Il est martiniquais. Il a écrit le poème "Pour saluer le Tiers-Monde".
2. «La négritude» est «la conscience d'être noir» et la «prise en charge de son histoire et de sa culture».
3. Toussaint Louverture était un héros de l'indépendance haïtienne. C'est un ancien esclave qui est devenu chef de l'île.
4. C'est un personnage historique important parce qu'il symbolise la liberté pour les Haïtiens. Il s'est battu pour l'émancipation des esclaves en Haïti. Il a créé une administration moderne, il a développé le commerce et il a ouvert des écoles.
5. René Depestre est un poète haïtien qui a été exilé de son pays à cause de ses activités politiques. Dans sa poésie il parle de Haïti et dénonce l'injustice. C'est un poète engagé.

D. L'art haïtien (20 points total: 5 points per answer)
(Sample answers)

1. On le sait parce que l'art est presque partout.
2. Il s'appelle "style naïf." Il est caractérisé par des couleurs chaudes, un dessin simple, et l'absence de perspective.
3. Non. Ils ont appris à peindre eux-mêmes.
4. Préfète Duffaut a peint "Village magique" dans un style personnel. Il y a beaucoup de détails dans ces villages imaginaires et beaucoup de montagnes et des rues en zigzag.

E. Conversations antillaises (10 points total: 2 points per answer)

1. d
2. c
3. b
4. a
5. e

F. Maintenant, c'est vous qui posez les questions! (15 points total: 5 points per answer)
Answers will vary.

Listening Comprehension Performance Test

Scène 1 (20 points: 4 points per item)

1. b
2. f
3. e
4. c
5. a

Scène 2 (20 points: 4 points per item)

6. a
7. d
8. e
9. c
10. b

Contexte 1 (30 points: 5 points per item)

Conversation 1
11. a
12. a
Conversation 2
13. c
14. a
Conversation 3
15. c
16. c

Contexte 2 (30 points: 5 points per item)

Conversation 1
17. a
18. b
Conversation 2
19. a
20. a
Conversation 3
21. c
22. b

Writing Performance Test

Please note that the answers provided are suggestions only. Student responses will vary.

1. À Paris (10 points: 2 per sentence)

- J'habite 224, rue de Rivoli.
- J'habite dans un immeuble.
- C'est tout près de la Place de la Concorde.
- C'est à cinq minutes à pied du Louvre.
- Il y a aussi des grands magasins dans mon quartier.

2. Persuasion (20 points: 4 per sentence)

- Et si je payais la moitié du billet d'avion?
- Si tu ne viens pas, je serai très triste!
- Si tu venais, je te montrerais tous les endroits intéressants.
- Tu adorerais les musées de ma ville.
- Tu ferais la connaissance de tous mes copains.

3. Il a menti! (15 points: 3 per sentence)

- il me présenterait à tous ses copains.
- nous irions en France cet été.
- il ne sortirait pas avec d'autres filles.
- nous ferions du ski en hiver.
- il me prêterait sa voiture.

4. Trop tard (25 points: 5 per sentence)

- Si j'étais parti(e) à l'heure, j'aurais retrouvé mes amis.
- Si je m'étais dépêché(e), je serais peut-être arrivé(e) à l'heure.
- Si j'avais téléphoné au café, ils m'auraient attendu(e).
- Si j'avais eu plus d'argent, j'aurais pris un taxi.
- Si nous avions choisi le film avant, je serais allé(e) directement au cinéma.

5. Composition libre (30 points: 5 per sentence)

Answers will vary.

ROUGE

Multiple Choice Test Items

Partie 1

1. a. au café
2. b. devant le ciné
3. b. quelque part
4. c. fait
5. b. à
6. a. donnait
7. c. avais
8. b. prenions
9. b. voyait
10. c. avait visité
11. a. ai
12. c. finissions
13. c. avait fait
14. c. était
15. a. ai
16. a. amusées
17. c. avais vue
18. b. irais
19. a. amusés
20. a. avait commencé

Partie 2

1. a. à la poste
2. c. à la bibliothèque
3. b. loin
4. b. la banlieue
5. c. pied
6. b. achèterais
7. c. verrions
8. b. irais
9. b. auras
10. a. viendrais
11. c. arriverait
12. b. pourrais
13. c. iraient
14. a. donnerait
15. b. sortiras
16. c. prendriez
17. a. passerions
18. a.. arrivera
19. c. irait
20. b. apporteraient

UNITÉ 8 STUDENT TEXT ANSWER KEY

PARTIE 1 Le français pratique

page 306

1. Créa-dialogue: Une invitation
(sample answer)

— Qu'est-ce que tu fais dimanche?
— Je suis libre.
— Est-ce que tu veux faire un tour en ville (voir une exposition)?
— Oui, volontiers!
— Où est-ce qu'on va se donner rendez-vous?
— Chez moi. (Devant le musée.)
— À quelle heure est-ce qu'on va se retrouver?
— À une heure et demie.
— Bon, alors, à dimanche, une heure et demie chez toi (devant le musée).

PARTIE 1 Langue et communication

page 309

1. En ville (sample answers)

• — Dis, si on allait dans une pizzeria?
— J'ai mangé une pizza hier soir. Si on allait plutôt dans un restaurant chinois?
— Bonne idée! Allons dans un restaurant chinois.
• — Dis, si on allait faire un tour dans le centre?
— Il y a trop de gens. Si on allait plutôt se promener dans le parc?
— Il va pleuvoir! Si on allait plutôt prendre un pot?
— Bonne idée! Prenons un pot.
• — Dis, si on allait voir une exposition?
— J'ai déjà vu toutes les expositions. Si on allait plutôt jouer aux jeux vidéo?
— Bonne idée! Jouons aux jeux vidéo.

• — Dis, si on allait dans les magasins?
— Je n'ai pas beaucoup d'argent! Si on téléphonait plutôt aux copains?
— Bonne idée! Téléphonons aux copains.

2. Et avant?

1. Samedi soir, nous étions allés à un concert.
2. Avant-hier, j'avais pris un pot au Saint Victor.
3. Ce matin, tu t'étais promené dans le parc.
4. Jeudi, tu lui avais donné rendez-vous devant le musée.
5. Le week-end dernier, ils avaient visité le château de Chenonceaux.
6. L'été d'avant, nous étions allés au Mexique.

3. Trop tard!

1. Quand nous sommes arrivé(e)s au théâtre, la pièce avait commencé.
2. Quand Olivier a téléphoné à Catherine, elle était sortie avec Jean-Paul.
3. Quand la serveuse a apporté l'addition, les clients étaient partis.
4. Quand Monsieur Renaud est entré dans la cuisine, le chien avait mangé le bifteck.
5. Quand vous êtes arrivé(e)s à la pâtisserie, le pâtissier avait vendu le dernier gâteau.
6. Quand le lièvre est arrivé, la tortue avait gagné la course.

4. Pourquoi?

1. Il ne s'était pas dépêché.
2. Tu t'étais couché(e) trop tôt.
3. Vous n'aviez pas acheté les billets.
4. Il était rentré trop tard chez lui.
5. Nous avions trop mangé.
6. Ils n'avaient pas étudié.

PARTIE 2   Le français pratique

pages 312 and 313

1. Une invitation à dîner (sample answer)

— Où habites-tu?
— J'habite 36, avenue Commonwealth.
— Où est-ce exactement?
— C'est dans le quartier de Back Bay.
— Est-ce que c'est loin de l'école?
— Oui, c'est à quatre kilomètres.
— Comment est-ce que je peux y aller?
— Tu peux venir à vélo, ou prendre un bus si tu préfères.

2. Créa-dialogue: En ville
(sample answers)

- — Je voudrais faire réparer ma voiture.
  — Va à la station-service.
  — Est-ce que c'est loin d'ici?
  — Non, c'est à 300 mètres.
  — Comment est-ce que je peux aller là-bas?
  — Vas-y à pied.
- — Je voudrais faire une promenade à pied.
  — Va dans le parc (le jardin public).
  — Est-ce que c'est loin d'ici?
  — Oui, c'est à cinq kilomètres.
  — Comment est-ce que je peux aller là-bas?
  — Prends le bus.
- — Je voudrais jouer au volley.
  — Va au centre sportif.
  — Est-ce que c'est loin d'ici?
  — Non, c'est à deux kilomètres.
  — Comment est-ce que je peux aller là-bas?
  — Prends le métro.
- — Je voudrais emprunter un livre.
  — Va à la bibliothèque.
  — Est-ce que c'est loin d'ici?
  — Non, c'est à un kilomètre.
  — Comment est-ce que je peux aller là-bas?
  — Vas-y à vélo.
- — Je voudrais faire des achats.
  — Va au centre commercial.

— Est-ce que c'est loin d'ici?
— Oui, c'est à huit kilomètres.
— Comment est-ce que je peux aller là-bas?
— Prends le bus.

- rencontrer des jeunes Américains/au centre de loisirs (à la Maison des Jeunes)
- déclarer la perte de mon passeport/au poste de police
- interviewer un membre du conseil municipal/à la mairie
- envoyer des lettres/à la poste
- voir une exposition de photos/au musée

PARTIE 2   Langue et communication

pages 314 and 315

1. Au choix (sample answers)

1. J'habiterais dans le centre-ville (parce qu'il y a beaucoup de choses intéressantes à faire).
2. Je travaillerais dans un restaurant (parce que j'aime manger).
3. J'assisterais à un concert (parce que j'adore la musique).
4. Je passerais les vacances à la mer (parce que je veux faire du ski nautique).
5. J'irais au ciné (parce que je veux voir beaucoup de films).
6. Je verrais un film d'aventures (parce que j'aime avoir un peu peur).
7. J'aurais une moto (parce qu'avec une moto on peut aller dans plus d'endroits).
8. Je ferais du parapente (parce que j'aimerais être un oiseau).
9. Je serais athlète professionnel(le) (parce que j'aime faire du sport).

2. Les élections municipales

- — Est-ce que vous développeriez les transports publics?
  — Oui, je développerais les transports publics.
  (Non, je ne développerais pas les transports publics.)

- — Est-ce que vous fermeriez le jardin public la nuit?
  — Oui, je fermerais le jardin public la nuit.
  (Non, je ne fermerais pas le jardin public la nuit.)
- — Est-ce que vous contrôleriez la pollution?
  — Oui, je contrôlerais la pollution.
  (Non, je ne contrôlerais pas la pollution.)
- — Est-ce que vous taxeriez les commerces?
  — Oui, je taxerais les commerces.
  (Non, je ne taxerais pas les commerces.)
- — Est-ce que vous créeriez un centre de loisirs pour les personnes âgées?
  — Oui, je créerais un centre de loisirs pour les personnes âgées.
  (Non, je ne créerais pas de centre de loisirs pour les personnes âgées.)
- — Est-ce que vous construiriez une nouvelle caserne de pompiers?
  — Oui, je construirais une nouvelle caserne de pompiers.
  (Non, je ne construirais pas de nouvelle caserne de pompiers.)
- — Est-ce que vous fermeriez la bibliothèque le dimanche?
  — Oui, je fermerais la bibliothèque le dimanche.
  (Non, je ne fermerais pas la bibliothèque le dimanche.)
- — Est-ce que vous interdiriez la circulation dans le centre-ville?
  — Oui, j'interdirais la circulation dans le centre-ville.
  (Non, je n'interdirais pas la circulation dans le centre-ville.)

3. La meilleure solution

A. Je rentrerais à pied.
Je demanderais de l'argent à un passant.
Je ferais de l'auto-stop.
B. Je téléphonerais à mon ami(e) et j'annulerais le repas.
J'achèterais une pizza.
J'inviterais mon ami(e) au restaurant.

C. Je dirais la vérité à mon frère.
Je parlerais à la copine de mon frère.
J'enverrais une lettre d'insultes à l'autre garçon.

4. Les vacances idéales (sample answers)

Pour nos vacances idéales, nous irions au bord de la mer en France. Nous irions d'abord en avion à Paris, puis nous voyagerions en train. Nous passerions deux semaines au bord de la mer. Nous choisirions un hôtel bon marché. Nous nous lèverions à neuf heures. Le matin, nous ferions de la natation et nous jouerions au volley sur la plage. L'après-midi, nous visiterions la région en autobus. Nous ferions la connaissance de gens en jouant au volley et aussi dans les cafés où nous passerions beaucoup de temps! Pour rester en forme, nous ferions du jogging sur la plage. Le soir, nous irions dans des discothèques et au cinéma.

pages 316 and 317

5. Si j'habitais . . . (sample answers)

1. Si j'habitais à San Francisco, je visiterais souvent le quartier chinois.
   Je mangerais dans tous les bons restaurants.
   J'étudierais à l'université de Berkeley.
2. Si j'habitais en Floride, je passerais beaucoup de temps à la plage.
   Je visiterais le parc des Everglades.
   J'irais à Disney World.
3. Si j'habitais à la Martinique, je ferais de la voile et du ski nautique.
   Je parlerais français.
   Je prendrais des bains de soleil.
4. Si j'habitais dans le centre-ville, je serais très souvent dans les magasins.
   Je me promènerais à pied.
   J'assisterais à beaucoup de concerts.
5. Si j'habitais dans un petit village à la campagne, j'aurais deux chiens, trois chats et dix lapins.
   Je me promènerais tous les jours à vélo.
   J'irais en ville une fois par semaine.

Unité 8 Resources

Student Text Answer Key

Discovering FRENCH Nouveau!

ROUGE

6. Si j'habitais dans la banlieue d'une grande ville, je voyagerais en autobus. J'aurais un jardin avec une grande pelouse et beaucoup de fleurs. Le week-end, j'irais au centre-ville avec mes copains.

6. Rêves (sample answers)

- Si nous étions invisibles, nous passerions à travers les murs.
- Si vous étiez multimillionnaire(s), vous habiteriez dans un château (vous auriez une Rolls-Royce).
- Si Sandrine était Wonder Woman, elle voyagerait dans l'espace (elle volerait comme un oiseau).
- Si Philippe était Superman, il protègerait les innocents.
- Si mes copains étaient extra-lucides, ils connaîtraient le passé, le présent et l'avenir (ils sauraient tout).

7. Problèmes et solutions (sample answers)

- Si je n'avais pas d'appétit, je ferais du sport. Je mangerais un peu. J'irais voir un docteur.
- Si je dormais trop, je demanderais à ma mère de me réveiller. Je ne resterais pas au lit jusqu'à midi. Je prendrais une douche froide.
- Si je ne me sentais pas très bien, je n'irais pas à l'école. Je me reposerais. J'irais chez le docteur.
- Si je perdais mon temps, je ferais une liste de toutes les choses que je dois faire. Puis je les ferais. Je n'attendrais pas demain.
- Si je ne réussissais pas à mes examens, j'essaierais de les réussir l'année prochaine. J'étudierais beaucoup. Je ne sortirais pas tous les soirs.
- Si j'avais besoin d'argent, je travaillerais. Je ne demanderais pas d'argent à mon père.
- Si j'étais déprimé(e), je parlerais à un(e) ami(e). Je sortirais. Je ne resterais pas tout(e) seul(e).
- Si j'avais un problème avec mon copain (ma copine), je lui en parlerais. Je ne me mettrais pas en colère.

- Si j'avais des difficultés avec mes parents, je demanderais à un adulte de leur parler. Je ne partirais pas.
- Si mon frère (ma sœur) m'embêtait tout le temps, je ne lui prêterais pas mon vélo! Je me mettrais en colère.

8. Que feriez-vous? (sample answers)

1. Si j'étais Raphaël, je téléphonerais à mon père et je lui demanderais de parler au propriétaire du restaurant. Je promettrais de laver la voiture le week-end prochain!
2. Si j'étais Caroline, j'utiliserais un détective. Puis je déciderais si je veux répondre à mon admirateur.
3. Si j'étais Jérôme, j'en parlerais à Cécile. Si l'éraflure n'était pas là avant, je paierais la réparation.
4. Si j'étais Jean-Claude, je resterais calmement à la bibliothèque. Je passerais une partie de la nuit à lire, puis je me coucherais par terre et je dormirais. Je sortirais quand les employés arriveraient le matin.
5. Si j'étais Madame Lescot, je ne m'énerverais pas. J'inviterais mes amis au restaurant. Ce serait assez cher, alors le reste de la semaine je mangerais seulement des yaourts.
6. Si j'étais Monsieur Rimbaud, je téléphonerais immédiatement à la police. Je garderais peut-être un peu d'argent? Je refuserais que mon nom soit dans le journal, parce que j'aurais peur des amis des terroristes.

9. Qu'est-ce que vous feriez à leur place? (sample answers)

A. Je commencerais à nager. (Je dirais adieu à mon ami.)
B. Je prendrais des photos. (J'irais leur dire bonjour.)
C. J'irais à l'auberge pour téléphoner.

10. Soyons polis!

1. Je voudrais te parler.
2. Nous voudrions sortir avec vous.

3. Pourrais-tu m'inviter à ta boum?
4. Pourrions-nous amener nos amis?
5. Pourriez-vous être à l'heure?
6. Tu devrais m'aider.
7. Vous devriez être plus généreux.
8. Vous ne devriez pas mentir.

11. Messages téléphoniques

- — Est-ce qu'il y a eu des messages?
  — Oui, Marc et Sophie ont téléphoné.
  — Et qu'est-ce qu'ils ont dit?
  — Ils ont dit qu'ils t'attendraient à 5 heures au Balto.
- Ta cousine a téléphoné. Elle a dit qu'elle se marierait cet été.
- Sandrine a téléphoné. Elle a dit qu'elle te retrouverait samedi au match de foot.
- Claire et Florence ont téléphoné. Elles ont dit qu'elles iraient au concert dimanche.
- Isabelle a téléphoné. Elle a dit qu'elle irait voir un film ce soir.
- Tes copains ont téléphoné. Ils ont dit qu'ils resteraient chez eux ce week-end.

INFO Magazine

page 321

Définitions (sample answers)

- Un **badaud** est quelqu'un qui se promène dans la rue et s'arrête pour regarder les musiciens des rues, les acrobates, les accidents, etc.
- Quand plusieurs personnes marchent ensemble dans la rue pour protester ou demander quelque chose, c'est une **manifestation**.
- Un **animal savant** agit un peu comme une personne: un chien qui compte, par exemple, ou un singe qui danse.
- Un **jongleur** lance des objets en l'air (des balles ou des torches) et les attrape (en théorie!)
- Un **mime** imite des gestes et ne parle pas.
- Un **automate** fait des gestes très mécaniques et ne dit pas un mot.
- Une **marionnette** est un jouet qui représente une personne ou un animal et

qu'on fait marcher avec des fils ou avec la main.
- **Faire la quête**, c'est passer parmi les gens pour leur demander de l'argent.

PARTIE 3 Langue et communication

page 323

1. L'incendie

1. Moi aussi, j'aurais téléphoné aux pompiers.
   (Moi, je n'aurais pas téléphoné aux pompiers.)
2. Moi aussi, j'aurais téléphoné à ma copine.
   (Moi, je n'aurais pas téléphoné à ma copine.)
3. Moi aussi, j'aurais fermé la porte de l'appartement à clé.
   (Moi, je n'aurais pas fermé la porte de l'appartement à clé.)
4. Moi aussi, j'aurais pris ma mini-chaîne.
   (Moi, je n'aurais pas pris ma mini-chaîne.)
5. Moi aussi, j'aurais laissé mon argent dans un tiroir.
   (Moi, je n'aurais pas laissé mon argent dans un tiroir.)
6. Moi aussi, je serais allé(e) dans la salle de bains.
   (Moi, je ne serais pas allé(e) dans la salle de bains.)
7. Moi aussi, j'aurais mis une serviette mouillée sous la porte.
   (Moi, je n'aurais pas mis de serviette mouillée sous la porte.)
8. Moi aussi, j'aurais ouvert la fenêtre.
   (Moi, je n'aurais pas ouvert la fenêtre.)
9. Moi aussi, j'aurais attendu dix minutes.
   (Moi, je n'aurais pas attendu dix minutes.)
10. Moi aussi, je me serais impatienté(e).
    (Moi, je ne me serais pas impatienté(e).)
11. Moi aussi, j'aurais sauté par la fenêtre.
    (Moi, je n'aurais pas sauté par la fenêtre.)

12. Moi aussi, je me serais cassé la jambe. (Moi, je ne me serais pas cassé la jambe.)

2. Vive la différence! (sample answers)

1. — J'ai vu une exposition.
   — Eh bien moi, à ta place, je n'aurais pas vu d'exposition. J'aurais vu un film.
2. — J'ai déjeuné au McDonald.
   — Eh bien moi, à ta place, je n'aurais pas déjeuné au McDonald. J'aurais déjeuné dans un restaurant italien.
3. — J'ai mangé un hamburger.
   — Eh bien moi, à ta place, je n'aurais pas mangé de hamburger. J'aurais mangé une pizza.
4. — Je me suis promené(e) dans le parc.
   — Eh bien moi, à ta place, je ne me serais pas promené(e) dans le parc. Je me serais promené(e) dans le centre-ville.
5. — Je suis passé(e) à la Maison des Jeunes.
   — Eh bien moi, à ta place, je ne serais pas passé(e) à la Maison des Jeunes. Je serais passé(e) au centre sportif.
6. — Je suis allé(e) au centre commercial.
   — Eh bien moi, à ta place, je ne serais pas allé(e) au centre commercial. Je serais allé(e) dans les boutiques du centre-ville.
7. — J'ai acheté des CDs.
   — Eh bien moi, à ta place, je n'aurais pas acheté de CDs. J'aurais acheté des cassettes.
8. — Je suis rentré(e) à pied.
   — Eh bien moi, à ta place, je ne serais pas rentré(e) à pied. Je serais rentré(e) en bus.

3. Tant pis pour toi!

1. — Je me suis perdu(e) en ville.
   — Est-ce que tu avais pris ton plan?
   — Non, je ne l'avais pas pris.
   — Tant pis pour toi! Si tu avais pris ton plan (si tu l'avais pris), tu ne te serais pas perdu(e).

2. — J'ai attendu une heure au restaurant.
   — Est-ce que tu avais réservé une table?
   — Non, je n'en avais pas réservé.
   — Tant pis pour toi! Si tu avais réservé une table (si tu en avais réservé), tu n'aurais pas attendu une heure au restaurant.
3. — Je suis arrivé(e) en retard au rendez-vous.
   — Est-ce que tu avais regardé ta montre?
   — Non, je ne l'avais pas regardée.
   — Tant pis pour toi! Si tu avais regardé ta montre (si tu l'avais regardée), tu ne serais pas arrivé(e) en retard au rendez-vous.
4. — J'ai attrapé un coup de soleil.
   — Est-ce que tu avais mis de la crème solaire?
   — Non, je n'en avais pas mis.
   — Tant pis pour toi! Si tu avais mis de la crème solaire (si tu en avais mis), tu n'aurais pas attrapé de coup de soleil.

pages 324 and 325

4. Dommage!

1. Si nous nous étions dépêchés, nous n'aurions pas raté le train.
2. Si Patrick avait lu les annonces, il aurait trouvé un job cet été.
3. Si mes copains avaient acheté des billets, ils seraient allés au concert.
4. Si j'avais utilisé ma calculatrice, je ne me serais pas trompé(e) dans le problème.
5. Si les joueurs s'étaient entraînés, ils auraient gagné le match.
6. Si vous aviez attendu, vous auriez vu l'éclipse.
7. Si tu avais mis ton manteau, tu n'aurais pas attrapé une pneumonie.
8. Si les élèves s'étaient reposés, ils n'auraient pas dormi pendant la classe.
9. Si le Petit Chaperon Rouge avait écouté sa mère, elle n'aurait pas rencontré le loup.

5. Vive la différence! (sample answers)

1. — Si j'ai soif, je boirai une eau minérale.
   — Eh bien moi, si j'avais soif, je boirais un coca.
2. — Si j'ai de l'argent, j'achèterai des vêtements.
   — Eh bien moi, si j'avais de l'argent, j'achèterais des CDs.
3. — Si je sors samedi, j'irai au concert.
   — Eh bien moi, si je sortais samedi, j'irais au cinéma.
4. — Si je vais au cinéma, je verrai «Sixth Sense».
   — Eh bien moi, si j'allais au cinéma, je verrais «Germinal».
5. — Si je vais à Paris, je visiterai le Louvre.
   — Eh bien moi, si j'allais à Paris, je visiterais le Musée d'Orsay.
6. — Si je vais en Europe, je voyagerai en avion.
   — Eh bien moi, si j'allais en Europe, je voyagerais en train.

6. Et si cela arrivait . . . ? (sample answers)

1. Nous ne parlerions pas aux bandits. Nous partirions très discrètement. Nous téléphonerions à la police. Nous donnerions une description complète des bandits. Naturellement nous dirions aussi à la police où le cambriolage a lieu. Après, nous répondrions aux questions des journalistes. Et nous ne refuserions pas que le propriétaire de l'endroit cambriolé nous remercie. . . .

7. D'abord, nous ne pourrions pas y croire. Nous vérifierions que c'est vraiment un trésor: nous montrerions un objet à une personne qui vend des bijoux. Nous ne lui dirions pas où nous l'avons trouvé. Nous ne téléphonerions pas à la police. Nous vendrions le trésor objet par objet. Nous garderions seulement deux ou trois très beaux objets. Hélas, la police nous poserait peut-être des questions difficiles. Alors nous nous excuserions. Nous donnerions le reste du trésor à la police.

7. Achats

1. achèterai
2. avions acheté
3. achèterait
4. achèteras
5. aurais acheté
6. achètes
7. achèterais
8. achetait

8. Un discours électoral

Messieurs et Mesdames,

J'ai le plaisir d'annoncer pour la sixième fois ma candidature à la mairie de Clocheville. Si vous **aviez voté** pour moi aux dernières élections, vous **auriez vu** les nombreuses améliorations que j'**aurais apporté** à notre bonne ville. J'**aurais construit** une nouvelle gendarmerie, une nouvelle poste et, bien sûr, une nouvelle mairie. J'**aurais éliminé** la pollution et la criminalité. Aujourd'hui, votre ville **serait** belle, propre et sans danger.

Malheureusement, aux dernières élections, vous avez voté pour mon adversaire qui est un incapable. Si j'**étais** à sa place, j'**aurais** honte de me présenter à nouveau. Heureusement, vous êtes intelligents. Quand vous **voterez** pour moi dimanche prochain, vous **voterez** pour quelqu'un de responsable et d'honnête. Si je **suis** élu, vous **pourrez** être fiers à nouveau de votre ville!

Merci!

LECTURE

page 328

Avez-vous compris? (sample answers)

1. Il le rencontre au cours d'un dîner d'anciens élèves de son lycée.
2. Il ne le reconnaît pas parce qu'avant il était élégant et timide, et maintenant il est moins élégant, bronzé, de bonne humeur.
3. Il est cultivateur.
4. Autrefois, il travaillait dans une banque. Il était adjoint du patron.

Unité 8 Resources

page 329

Avez-vous compris? (sample answers)

1. Elle ne va pas à la réception parce qu'elle est tombée malade.
2. Elle lui conseille d'y aller parce que c'est utile pour sa carrière.
3. Elle lui demande de lui rapporter une pêche.
4. Il hésite parce que ce n'est pas facile de le faire discrètement.

page 330

Avez-vous compris? (sample answers)

1. Les pêches sont servies après minuit par le maître d'hôtel, aux personnes indiquées par le patron. Elles sont coupées en deux.
2. Il prend les pêches quand les domestiques sont partis.
3. Il met les pêches dans son chapeau.

page 331

Avez-vous compris? (sample answers)

1. Son larcin a été découvert parce qu'une jeune fille lui a demandé son chapeau pour une danse.
2. Les autres invités ont beaucoup ri.
3. Le lendemain, ses collègues ont dit: «Ramassez vos pêches!»
4. Il a décidé de quitter la banque et la ville, et d'aller chez un oncle qui avait une ferme.

page 332

Avez-vous compris? (sample answers)

1. À la ferme, l'atmosphère est sympathique.
2. Il est très heureux de son sort.

Unité 8   Resources

Student Text Answer Key

UNITE 8 LISTENING/SPEAKING ACTIVITIES ANSWER KEY

PARTIE 1

Le français pratique

Activité 1. Compréhension orale

1. faux
2. vrai
3. faux
4. vrai
5. vrai
6. faux
7. faux
8. faux
9. vrai
10. vrai

Activité 2. Échanges

1. Non, je regrette. Je sors avec une amie.
2. Oui, je l'ai rencontré hier au stade.
3. Il se trouve en face du cinéma, mademoiselle.
4. Oui, on se retrouve devant la poste à sept heures.
5. Tes clés? Attends . . . Je les ai vues quelque part.
6. Allons prendre un pot ensemble.
7. Non, je n'oublie pas. À samedi, alors.
8. Entendu!
9. Non. J'ai fait la connaissance d'un garçon très sympa.
10. J'habite à côté de la poste.

Activité 3. Conversation

1. Il devait le retrouver à sept heures.
2. Ils devaient aller à une soirée chez Henri.
3. Il l'a rencontré dans le bus.
4. Ils sont allés au cinéma.
5. Non, il s'est bien amusé.
6. Oui, il a fait la connaissance d'une fille très sympa.
7. Tout le monde a beaucoup dansé.
8. Il s'est endormi.
9. Parce que le film n'était pas intéressant.
10. Parce que sa nouvelle copine doit le retrouver à cinq heures.

Activité 4. Instructions

Samedi
10h	Musée Jacqueline-Simone
12h30	Restaurant «Le Gourmet» Robert-Jacques Durand
14h	Coiffeur Jacqueline
19h	Dîner Robert-Jacqueline avec les Martinet, Opéra

Dimanche
9h	Golf Robert
12h	Cafétéria du golf Robert-Jacqueline
18h	Aéroport Robert-Jacqueline: Arrivée des enfants

Langue et communication

Pratique orale 1

1. Ah, si mes parents m'achetaient une guitare!
2. Ah, si je pouvais voyager!
3. Ah, si mon frère était plus patient avec moi!
4. Ah, si j'étais le meilleur élève de la classe!
5. Ah, si mes parents avaient une grande maison!
6. Ah, si nous partions en Espagne pour les vacances!
7. Ah, si j'étais plus musclé!
8. Ah, si j'avais une moto!
9. Ah, si Lucie m'invitait à sa boum!
10. Ah, si j'étais en vacances!

Pratique orale 2

1. Et l'été d'avant, il avait fait de la plongée sous-marine aussi?
2. Et l'été d'avant, vous aviez voyagé aux États-Unis aussi?
3. Et l'été d'avant, tu avais séjourné dans un hôtel de luxe aussi?
4. Et l'été d'avant, elle s'était bien amusée aussi?
5. Et l'été d'avant, elle avait été malade aussi?

Unité 8 Resources

Listening/Speaking Activities Answer Key

6. Et l'été d'avant, ils avaient visité l'Europe aussi?
7. Et l'été d'avant, vous étiez partis en voiture aussi?
8. Et l'été d'avant, elle avait travaillé dans un magasin aussi?

PARTIE 2
Le français pratique

Activité 1. Compréhension orale

1. vrai
2. faux
3. faux
4. vrai
5. vrai
6. vrai
7. faux
8. faux
9. vrai
10. vrai

Activité 2. Réponses logiques

1-c, 2-a, 3-b, 4-c, 5-a, 6-b, 7-c, 8-a, 9-c, 10-c.

Activité 3. Questions

1. Il y a un cinéma dans la rue Charles de Gaulle.
2. Il y a une bibliothèque.
3. Non, elle est loin du musée.
4. Non, vous pouvez y aller à pied.
5. Oui, il y a une boulangerie en face du centre commercial.
6. Non, elle est à deux kilomètres.
7. Elle se trouve dans la rue Voltaire.
8. Oui, il y a un jardin public dans la rue Albert Camus.
9. Oui, il y a un restaurant dans la rue Charles de Gaulle, en face du cinéma.
10. Il faut aller au poste de police, dans la rue Charles de Gaulle.

Activité 4. Minidialogues

Minidialogue 1

1-b, 2-a, 3-c, 4-b, 5-c, and 6-a.

Minidialogue 2

1-c, 2-a, 3-b, 4-b, 5-a, and 6-c.

Activité 5. Situation

LA RÉCEPTIONNISTE: (Oui, monsieur. Il y a un château.)
LA RÉCEPTIONNISTE: (Il se trouve derrière la place Royale.)
LA RÉCEPTIONNISTE: (Non, vous pouvez y aller à pied.)
LA RÉCEPTIONNISTE: (Quand vous sortez de l'hôtel, vous prenez la rue Bonrepos à droite, jusqu'à la rue de la Libération. Là, vous prenez à droite jusqu'à la place Royale. Le château est juste après.)
LA RÉCEPTIONNISTE: (Oui, il y a un musée d'art moderne.)
LA RÉCEPTIONNISTE: (Non, il est tout près.)
LA RÉCEPTIONNISTE: (Il se trouve dans le boulevard Voltaire.)
LA RÉCEPTIONNISTE: (Oui, il y a un restaurant en face du musée.)

Langue et communication

Pratique orale 1

1. Si j'étais en vacances, je ferais de la planche à voile toute la journée.
2. Si j'étais riche, je m'achèterais un bateau.
3. Si je pouvais voyager, j'irais en Chine.
4. Si j'allais à Paris, je visiterais le Louvre.
5. Si je gagnais à la loterie, j'offrirais des cadeaux à ma famille et à mes amis.
6. Si j'avais un gros problème, j'en parlerais à mes parents.
7. Si mon meilleur ami oubliait mon anniversaire, je ne serais pas fâché.
8. Si mes parents voulaient m'offrir un beau cadeau, je choisirais un ordinateur.
9. Si tu m'invitais au restaurant, je viendrais avec plaisir.
10. Si tu partais habiter dans une autre ville, je te téléphonerais souvent.

Pratique orale 2

1. Est-ce que tu pourrais me prêter ton stylo?
2. Auriez-vous l'heure, monsieur?
3. Pourriez-vous me dire où se trouve le théâtre?
4. Nous devrions partir.
5. Tu voudrais bien m'aider?
6. Sauriez-vous où il y a un café près d'ici?
7. Est-ce que nous pourrions utiliser le téléphone?
8. Tu ne devrais pas mettre cette veste.
9. Je voudrais m'asseoir.
10. Tu n'aurais pas trois euros à me prêter?

PARTIE 3

Langue et communication

Pratique orale 1

1. À ta place, je serais allé(e) à la piscine.
2. À sa place, je me serais promené(e) en ville.
3. À ta place, j'aurais regardé un film à la télé.
4. À votre place, je serais allé(e) en forêt.
5. À ta place, je me serais acheté des cassettes.
6. À leur place, j'aurais visité l'Italie.
7. À ta place, j'aurais fait plus attention.
8. À sa place, je l'aurais invitée à prendre un pot.
9. À leur place, je me serais dépêché(e).
10. À ta place, j'aurais mangé du poulet et des frites.

Pratique orale 2

1. Je serai content(e).
2. J'inviterais quelqu'un d'autre.
3. Elle aurait été fâchée
4. Nous irons faire un pique-nique.
5. Nous irions au cinéma.
6. Nous serions allés à la plage.
7. Je ferai de la planche à voile.
8. Je resterais à la maison pour travailler.
9. Je me serais promené dans la forêt.
10. Je m'achèterai un vélo.
11. Je ne serais pas étonné(e).
12. J'aurais eu plus de chances de gagner.